「シナリオ教室」シリーズ

劇的《ドラマチック》！小説術

上手くなるのが実感できる95のレッスン

柏田道夫

言視舎

【プロローグ】

本書はこれまでにない「小説指南本」です。

インターネットが生活の一部となり、小説の姿――発表の仕方だったり読まれ方なども、大きく変化しました。

もちろん、本書で目指すのは完成度の高い「小説」ですが、映像表現、ドラマ性を重視する「シナリオ（脚本）」のテクニック、手法を活かすことで、まさに劇的におもしろい小説が書けてしまえる、というおいしい話をあれやこれやとしていきます。

基礎編では、小説とシナリオ表現の違い。それを理解した上で、意外と分かっていない書き手も多い、小説の人称や視点についてのノウハウ。

さらに小説の書き手となるための、プロ作品からテクニックを「盗む」読書の方法についても述べています。

実践編では、まずはショートショートから短編を仕上げるレッスンについて。名脚本家から、短編で直木賞作家となった向田邦子の諸編をテキストに、じっくりと講義します。

そこから中編・長編を書くためのレッスンを経て、プロットの組み方や、キャラクター（人物）造型からストーリーを組み立てていく手法など、プロ作家の作品を例に述べています。

本書より前に、シナリオの手法を活かして小説を書こう、という切り口では、『「超短編シナリオ」

を書いて小説とシナリオをものにする本』や、『小説・シナリオ二刀流奥義』という指南書を出しました。合わせてお読みいただけるとさらにスキルアップするはず。

ここで考察した手法をさらに深掘りしようという意図で、私が講師を務めているシナリオ・センター発行の機関誌・月刊『シナリオ教室』の連載「シナリオ技法で小説を書こう！」は現在も続いています。本書はこの連載記事を、大幅に加筆改訂して、再編集しました。

さあ、「これから小説を書いてみよう」という方、「書いていたけれど突破口が見出せない」、「書きあぐねている」という方も、本書を活用してあなただけのストーリーを完成させてほしい！

目次

第2章 作家になるための小説の読み方 62

第3章 作家になるための巧みな表現力 80

Ⅱ　実践編

第４章　完成度の高い短編小説を書く　120

第5章　向田邦子『思い出トランプ』をテキストとする　141

第6章　向田邦子『隣りの女』脚本から小説とする　170

第7章　小説の設計図プロットを書く　194

Ⅰ　基礎編

第1章　基礎編1

小説の人称・視点・描写、シナリオとの違い

Lesson1　決め手は「イメージ右脳」

インターネット、パソコンの普及が大きな要因かと思いますが、近年の文筆業界の傾向として、シナリオと小説の垣根が低くなった、むしろ両者の領域が混じり合ってきたという印象を受けます。

もちろん、基本的にシナリオは「映像の設計図」という役割がありますので、書式や決まり事、表現の仕方、ルールなどがあって、そうした面では小説との違いは変わりません。

ただ、ケータイやネットの拡散と共に一時脚光を浴び、新しい小説のカタチとして認知された「**ケータイ小説**」などは、活字で成立していた小説の文体とは明らかに違っていました。短いト書的な文章とセリフで書かれていて、いわばシナリオと小説の中間のような新ジャンルでした。

こうしたスタイルは、インターネット上で読ませる「**ネット小説**」とかに今も継承されています。

同時に、それまであったジュブナイル小説やコバルト小説といった若い読者をメインに想定した小説群は、ラノベこと「**ライトノベル**」に統合され、すっかり認知されて大きな市場を獲得しています。

ラノベの定義ははっきりとしていないようですが、イラストや挿絵と共に読む映像的なストーリー

展開で、文体としてはまさにト書的な簡潔さ、分かりやすい文章とセリフが求められます。

また、一口に小説にもあれこれと分け方があるのはご存じでしょう。それこそ「純文学」と「エンタメ小説」（かつては「中間小説」とカテゴライズされた）というような。ここでそうした定義は省略しますが、近年著しい（求められている）小説の傾向としては、「分かりやすさ」であり、なにより決め手となるポイントこそが「**映像性**」でしょう。

さて、次の図はおなじみの人間の左脳と右脳の役割、機能、特徴を示したものです。左脳の主な機能は言語や論理的な事柄を司っていて、右脳は感性、感覚を主に司っている。もちろん、片方だけでなく、両脳が密接に連携し合っていて、人間は生きていけるのですが。

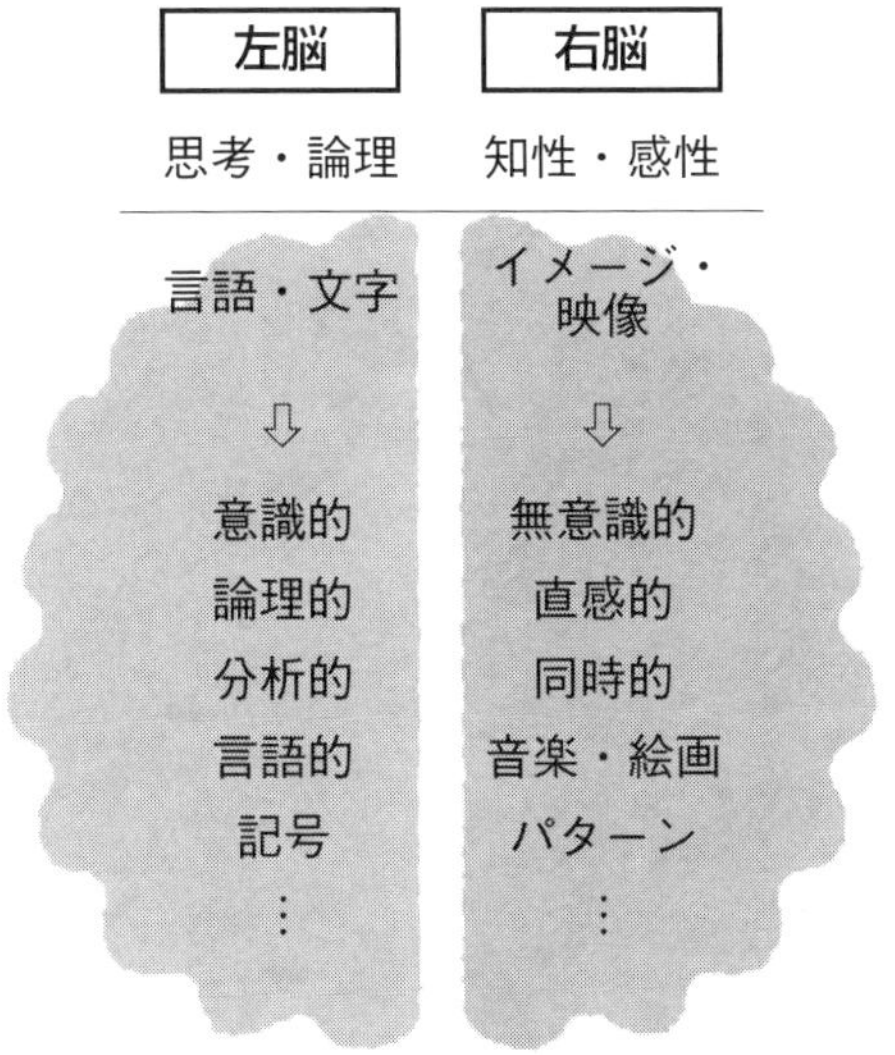

この脳の本来の機能や役割といったことは、専門家のお医者様とか研究者さんにお任せしますが、私なりには簡単に「**左・言語**」「**右・イメージ**」と覚えるようにしています。

そうした浅い見識で申し上げるのですが、文章を書くという作業は主に左脳を働かせるわけです。論理的に組み立てとかをしつつ、言語を駆使して表現をしていく。

ですが直感的な発想であったり、イメージをとらえる右脳の働きこそが決め手になります。映像の設計図であるシナリオは「イメージ」が浮かばないようでは話にならない。で、実は小説も、言語脳の左と連携するイメージ右脳を、できるだけ稼働できる書き手こそが売れる作家になっています。

以前、歴史学者さんが書いた、小説と称する長編を読んだ（読まされた）ことがあります。ほぼ全編が歴史的記述と、書き手の見解、検証などが綴られていて、ひたすら苦痛。映像がさっぱり浮かばない論文調だったわけです。

私はシナリオ・センターという脚本家を養成するスクールで教えています。ここでは、自作シナリオを発表し、他の受講生が感想を言い合う小人数のゼミ教室で腕を磨いていきます。受講生の中に、自作は発表せず、次第に批評、分析に長けてしまう方がいますが、大いに危険な兆候です。

ともあれ、シナリオ創作で不可欠な**「映像感覚」こそが、売れる小説を書くための大きな武器**になるのです。

Lesson2 「おもしろい」か「おもしろくないか」

人間の脳の役割、機能について。簡単にいうと「右・イメージ」「左・言語」で、感覚、イメージを司る右脳と、論理性であったり言語を司る左脳の役割がある。学者や評論家という職種の人ならば、より左脳の機能を使うことになりますが、映像表現によるシナリオを書こうとする脚本家は、イメージ脳である右脳が決め手になります。

小説は文章による表現ですから、言語脳である左脳の機能が重要です。加えて書かれた文章（描写）によって、読者にイメージを共有させる、さらには拡げさせられるかが、売れる小説の必須条件になります。シナリオで培った映像表現の手法は、小説を書く上でも役立つわけです。

ところで、小説といっても分類があります。この指南書で〝シナリオ的技法〟を活かしてほしい小説は、エンターテインメント系、すなわち「エンタメ小説」です。対する分野は「純文学」ですが、これを書くなという意味ではありません。

というのは、純文学は難解で文学的、エンタメ小説は娯楽性の高いもの、というのはレッテル的なイメージに過ぎません。両者の違いは実は、文壇における棲み分け（芥川賞や直木賞といった賞の種類や掲載誌の違い）だったりします。

シナリオ・センター出身で**『三千円の使いかた』**や**『一橋桐子（76）の犯罪日記』**などベストセラーを連発している**原田ひ香**さんは、純文学系文芸誌の「すばる文学賞」で新人賞をとられ、以後も「群像」で発表されるといった活動で、純文学作家と位置づけられています。ですが作品はどれも高い文学性だけでなく、小説としておもしろい。

映画も「文芸映画」と「娯楽映画」の分け方があるのと同じですが、こうした分類よりも、純文学だろうが文芸映画だろうが、「おもしろい」か「おもしろくない」かのどちらかしかないと私は思っています。

また、読者対象別に「童話」「児童小説」「ジュニア小説」「ライトノベル」という分け方もあります。一般読者向けの「エンタメ小説」にも、次ページのようなジャンルがあります。「私小説」はほぼどっぷり純文学に入っていますが、他のジャンルであっても文学性の有無は求められるわけです。

このジャンルもおおよそですし、細分化されたり、またがったりします。一番人気の高い「ミステリー・推理」にしても、「密室」や「アリバイ崩し」「トラベル」「コンゲーム（詐欺師）」「ケイパー

純文学	エンタメ小説（ラノベ・ジュニア）
私小説	経済・実録 歴史・時代・戦記 S・F ファンタジー サスペンス・スリラー ホラー（怪談） ハードボイルド・冒険 ミステリー・推理 現代（風俗）官能 恋愛・青春 ヒューマンドラマ・伝記

（強奪）」というように。「ハードボイルド」もミステリーに入れることもあります（拙著『ミステリーの書き方』で各ジャンルの詳しい解説をしています。参考にしてください）。

　また「恋愛」も、より「官能」の度合いが強いか弱いかで違ってきますし、「ミステリー」や「ホラー」色が加味されることでおもしろさが増したりします。

　こうしたジャンル分けはシナリオも同じですが、エンタメ系を目指すということで小説にも不可欠なおもしろく運ぶテクニック、手法が役に立つわけです。

　例えば「ミステリー」は、謎や秘密を据えることで物語を引っ張る構造をとります。「主人公はどうなる？」「この話の結末は？」と、読者（観客）の心をつかむことができたら、エンタメ作品として合格です。

　どういう謎を据えるか？　どう伏線を張り巡らせるか？　意外性や見事な謎解きで読者、観客を驚かせられるか？　ミステリーに限りませんが、特にこうしたジャンルは構成が決め手です。それ以前にドラマとしての作り、キャラクターの造型といったシナリオの基本は、小説を書く上でも欠かせない要素です。

もちろん「純文学を書きたい」という方であっても、文章的クオリティを極めるだけでなく、「おもしろい」小説を目指してください。そのために**シナリオのテクニック**を応用させてほしいのです。

Lesson3　小説に書き方の決まりはないが……

シナリオは映像のための設計図的な役割がありますので、シナリオ・センターではまず、基礎講座で書式や書き方のルール、映像独自の手法や書き方などを学びます。

シーンを示す○柱を立て、ト書とセリフで書かれます。ト書を三字空けて揃えるとか、セリフの二行目は一マス空けといった書式は、設計図として分かりやすく、読みやすくするための決まり事です。

これに対して小説の決まり事は厳密ではなく、どのように書いても構いません。地の文とセリフだけ。ただし文章で場所や人物を描写しなくてはいけません。セリフも、シナリオのような人物指定をしませんので、地の文で誰が話しているのかといったことも分からせます。そうしたシナリオと小説の表現の違いを、まず知ることが必要です。

そうはいっても、小説にも最低限の書き方のルールや、知っておくべき原稿用紙の使い方、ワープロ原稿の書式や印字の方法などはあります。こうした書式的なことを（シナリオも同じですが）しっかりと身につけて書かないと、小説のコンクールなどで一次で落とされます。

まずはシナリオと小説の表現の違いを理解しましょう。例えば、

【サンプル①】

○渋谷・スクランブル交差点（夕）
　信号が代わり、人々が行き交う。
　大きなバッグを背負った日野真美（18）が慣れない様子で渡る。
　めざとく見つけた茶髪の佐倉徹（24）、真美に近づくと、
佐倉「ねえ、ねえ、彼女、どこ行くの？」
真美「……（呟く）ナンパだ。わるもんだ」
　真美、佐倉を無視してずんずん歩く。

　このようにシナリオは、まず○と書かれた柱で、場所、空間、場面を指定して、ト書で最低限のその場面の情景を示し（まったく省略することも）、登場人物を紹介して、人物の行動（アクション）を書き、人物指定をしてセリフとなります。

　真美、佐倉といったような三人称が基本で、登場時に人物のフルネームと年齢を書きます。

　主人公を中心に物語を運ぶのが基本ですが、カメラが人物たちを映しますので、いわゆる**「三人称多視点」**となります。これについての説明は後述。

設定としては、地方から東京にやってきた主人公の真美が、最初に東京の象徴のような渋谷のスクランブル交差点を歩くところから。

皆さんもレッスンとして、試しにこれを小説の文章として書いてみてください。当然表現は人によって違うでしょうが、まず小説では人称を決めなくてはいけません。

一人称（私、僕など）と、三人称（真美は、佐倉はというように）で書くかの選択です。例外として二人称（あなた、君など）もありますが。

主人公の行動や思考を中心に物語を運ぶ、という原則はシナリオも同じですが、シナリオは常に三人称で書かれます。それもカメラで追うように、神的な視点で人物の動きや表情、アクションを描いていきます。小説は人称を決めたら、その人物の視点で描いていくのが基本。例えば、

【サンプル②】

その日の夕方も渋谷のスクランブル交差点は、人が溢れていた。

信号が青に変わると、左右前後からいっせいに人々が対岸に向かって歩き出す。ぶつかることはまずなく、肩をひょいと振るだけで巧みにすれ違っていく。

日野真美はそうはいかない。スマホを眺めながら向かってくる女子高生を避けようとして、隣のおじさんとぶつかって舌打ちされたり、背中の大きなバッグごとどつかれたり。

「ねえ、ねえ、彼女、どこ行くの?」

いかにもちゃらそうな茶髪男が真美に笑いかけてきた。

「ナンパだ、わるもんだ」

真美は口の中で唱えると、茶髪チャラ男を無視してずんずん歩いた。

この場合は主人公真美の三人称です。真美の視点ですから、茶髪男の名前や年齢などはまだ分かりません。それだけでなく通常小説では、主人公も真美（18）というように書けませんので、何らかの方法で年齢などを伝えることが必要となります。

Lesson4　一人称か三人称かで違ってくる

シナリオは現場で、映像として撮っていくための設計図的な役割がありますので、柱で場面を指定して、ト書で最低限のその場面の情景を示し（まったく省略することも）、登場人物を紹介して、人物の行動（アクション）を書き、人物指定をしてセリフとなります。

カメラが人物たちを映しますので、いわゆる「三人称多視点」となります。例としたトップシーンのシナリオ【サンプル①】。設定としては地方から東京にやってきた主人公が、最初に東京の象徴のような渋谷のスクランブル交差点を歩く。

最初のト書の〝**信号が変わり、人々が行き交う。**〟は、**○渋谷・スクランブル交差点の最低限の情景描写**となります。

渋谷の交差点の情景、混雑ぶりは認知されていますので、特に詳しくト書で書かなくても通用します。

これを省いて、〝**大きなバッグを背負った日野真美（18）が、人混みにもまれながら渡る。**〟といったト書から入っても間違いではありません。

人物紹介の初出は**日野真美（18）**というようにフルネームで年齢も分からせます。以後、女性は真美、男性は佐倉というように表記しますが、これも単に認識しやすくするためです。

このように書かれたシナリオを、スタッフ・キャストで絵にしていくわけですが、カメラがどういう映像にするかは監督が決めていきます。例えば、俯瞰（ロングショット）でスクランブル交差点の歩行者たちをとらえ、カットが変わって、人の波の中をとまどいながら歩く真美を正面から映す。さらにカメラが真美目線になって、すれ違う人々をとらえていき、渡りきった時に佐倉の顔が現れて、というように。

さて、これと同じ情景を小説として書こうとする場合は、まず柱がありませんので、地の文で場所や時間を分からせなくていけません。

その前に一人称か三人称で描くかという選択があります。前項は三人称の〝日野真美は〟を例としましたので、今回は**例えば一人称で**その人物目線から書いてみます。皆さんもやってみてください。


【サンプル③】


——ああ、ここが渋谷だ！　ようやく私は来たんだ。

テレビや映画で何度も見たけれど、夕方のスクランブル交差点はすごい人だった。都会の彼らはいかにもそれが当たり前のようにすれ違っていく。私はほんの十数メートルの向こう側に辿りつこうとするだけで息を切らしてしまった。

背中の大きなバッグが、ながらスマホの女子高生とぶつかって、ガン見された。怖い。

「ねえ、ねえ、彼女、どこ行くの？」
えっ、私に話しているの？
声のほうを見ると、いかにもちゃらそうな茶髪男が笑っていた。

一人称の場合、私ならば私の目線、見た目で描写することになります。問題はさまざまな情報（私や茶髪男の名前や年齢、性別など）も、何らかの方法で表現しなくてはいけません。さあ、どうするか？

Lesson5 〝私〟は男なのか？ 女なのか？

シナリオは「三人称多視点」ですし、人物もト書では〝**日野真美（18）、交差点を渡る。**〟というように客観描写をします。その際、ト書は必要最小限ですので、例えば〝**真美は身長160センチの中肉中背で、髪はショートカット。革ジャンにジーンズで、背中には大きなバッグを背負っている。**〟といったところまでは通常書きません。

ここまで書いていたら枚数ばかり食ってしまうし、キャストなどが決まっていない段階では、実践的でなかったりします。

ただ物語上で必要であったり、真美という人物の個性、特徴として伝えておいたほうがいいならば書きます。例えば〝**真美は太目の身体でぜいぜい息を吐きながら交差点を渡る。**〟というト書で、物語の中でダイエットに励むといった展開となるならば、ということです。

シナリオ初心者の中には〝**真美は故郷から上京したばかりで、渋谷は初めて訪れた。**〟みたいなト書を書いてしまって、基礎講座の添削で「映像にできません」とか「小説的表現です」と赤が入ったりします。

まさにこうした事情や背景などは、小説の地の文ならば書けます。シナリオのト書は見えている部分だけですので、上記の〝**背中に大きなバッグを背負っている。**〟は、上京したという意味合いの一環として書いても構わないわけです。

さてト書では書けないのですが、**小説ではそうした描写、表現こそが必要**になりますし、的確に描いていくことが求められます。

これをどう書いていくか？　前述しましたが、小説を書く際に「視点」がシナリオ以上に重要となります。「私」や「僕」といった一人称か、「真美」「佐倉」など三人称で描いていくかの選択があります。さらには章ごとにそれらを混ぜて描いていく、といった手法もありますが、それは例外として、両者の違いなりポイントを述べていきます。

まずは**一人称表現**から。主人公（もしくは視点者）を〝私〟で運んでいく。主人公が18歳で東京に来た日野真美。彼女を〝私〟で描いていくとします。

一人称の場合の基本として、まず私の見た目、視点で見えるものしか描いてはいけない。同様に私が何を思っているか、心理や事情、背景なども、基本的には私以外は分かりません。ここが一人称の書きやすさである反面、難しさにもなります。例えば、

【サンプル④】

私はようやく東京に来た。ここが憧れていた渋谷の交差点だ。

平日の昼間なのに、スクランブル交差点は人が溢れている。私は大きなバッグを背負い直すと、人の波に弾かれないように踏み出した。

といった描写で展開していく。初心者で間違いやすい点がいくつかあるのですが、まずこの視点者である〝私〟の情報なりを伝えないまま展開してしまう。

ミステリーなどで、作者が意図的に情報を隠す場合もあったりしますが、読者は文章を読みながら、さまざまな情報を拾っていきます。

この〝私〟の性別、年齢、容姿、事情などなど。これまで〝日野真美〟という人物を前提として語っていますので、皆さんはこの場合の〝私〟は、若い女性だと思い込んで読んでいたはず。でも、これが1P目だとしたら、読者は私の性別は分かっていません。実は30代の男性かもしれないのです。

〝私〟の一人称で描く作者も、時として思い込みで（読者不在で）描いてしまう場合があります。そうした情報をどう伝えるか？　例えば（あまりうまいとは言えないが）〝**私は18歳の女の子。名前は日野真美、高校の卒業式を終えるなり、夕べの夜行バスで九州からやってきた。**〟と書いてしまう。

また、視点のぶれも間違いやすい。〝**私はあまりの人の多さに、大きな目をくりくりとさせて、あんぐりと口を開けた。**〟みたいな表現をしてしまう。どこがおかしいか、お分かりですか？

Lesson6 〃私〃には自分の顔は見えない

例えば、初心者の方が書いたもので、

【サンプル⑤】

私は朝からとても不機嫌だった。天気もずっと雨で私の気持ちを晴れやかにしてくれない。そんな加世を眺めていた小野田も、ここのところずっと仕事がうまくいかずにいらついていた。加世が小野田に当たり散らしたので、彼の心はいっそうブルーからレッドに変わり、持っていた茶碗を投げつけた。私もイライラを爆発させ、包丁を投げ返した。男の胸に深々と刺さった。

こんな文章が本当にあります。あえて一人称と三人称もゴチャゴチャに、**視点混在**で書いてみたのですが、こうした書き方をされると、読者は？？？で小説に入っていけません。一人称の〃私〃で書くと決めたら、まずはその視点で通すのが原則です。

途中から視点者を変える場合は、章を変えたり、センテンスの行を空けるなどして、視点者や人称が変わったことを読者に分からせるのが原則です。

ともあれ、〃私〃や〃僕〃〃オレ〃といった一人称は、書きやすい反面、難しさもあります。〃私〃の行動、見たものや心理を書いていけばいいので、読者も感情移入しやすいというのがメリット。

反面、私以外の人物なりの感情や、見ている情景などを伝える方法を工夫しなくていけなくなります。

また前述しましたが、一人称の場合、その視点者の情報なりをどう伝えていくか、ということも考えなくてはいけません。前回例とした【サンプル④】の表現、

私は18歳の女の子。名前は日野真美、高校の卒業式を終えるなり、夕べの夜行バスで九州からやってきた。私はあまりの人の多さに、大きな目をくりくりとさせて、あんぐりと口を開けた。

はおかしいと指摘しました。〝私〟の紹介としての年齢や名前、夜行バスで九州から来たことなどは問題ありませんが、次の〝**あまりの人の多さに、大きな目をくりくりとさせて、あんぐりと口を開けた。**〟は、私には自分の顔や表情は見えませんのでおかしいのです。

一人称で書く初心者には、こうしたちょっとした**描写のミス**はひんぱんに見られます。他にも多いのは〝**私はひどく動揺し、真っ青だった。**〟といった表現。

例えばこういう場合は、〝**私はひどく動揺していて、鏡に映る顔は真っ青だった。**〟とか、〝**私は動揺した。きっと真っ青な顔をしているに違いない。**〟というように書かなくてはいけないわけです。

右記もあえて直すなら、〝**あまりの人の多さに驚いた。私は人から目も口も大きいと言われるけど、その目は見開かれくりくりと回り、口はあんぐりと大きさが増していただろう。**〟というように。

私以外の人物の心理などを描く場合も同様です。私である真美の横に、一緒に上京してきた岡崎ミドリがいたとして、〝**隣に立つミドリもバクバクと高鳴る心臓を抑えていた。**〟と書くのは視点混在となります。〝**ミドリも同じに違いない。胸に手を当てているのは、高鳴る心臓を抑えようとしている**

のだ。〞とか、〝私は隣に立つミドリの手をとった。ミドリの心臓の高鳴りが私にも伝わってきた。〞といった表現ならば、私の一人称視点が通されていることになります。

Lesson7　一人称手法は、いわばPOV方式

小説を書く際に重要となる「視点」、まずは一人称で書く場合のポイントを述べています。

シナリオは三人称多視点で書かれますが、実際にカメラが情景や、主人公をはじめとする人物たちをとらえていきますので、いわば神的視点ともいえます。時にカメラが誰かの目線になって、見えるものを映すこともありますが。

ところでPOV（Point of View）方式と呼ばれるドキュメンタリータッチを狙う映画があります。「視点ショット」「主観ショット」と訳されますが、物語の中で登場人物が駆使するビデオの映像だけで展開する見せ方。

１９９９年製作でヒットした『ブレアウィッチ・プロジェクト』からで、スペイン映画の『ＲＥＣ.』シリーズや、やはりホラーの『パラノーマル・アクティビティ』シリーズなど。

ビデオカメラの映し手が変わると、視点者も変わるわけですが、一人称で小説を書こうとする場合は、いわばこのＰＯＶ方式（それもカメラを持つのは主人公、語り手のみ）で書いていくことと考えていいでしょう。

語り手（私）の視点がカメラですから、私がいない場面は書けないことになりますし、私が見たもののしか描写できません。

ただし映像の場合は見えるものや音とかはそのまま表現できますが、文章では匂い（嗅覚）や肌感覚（触覚）、味覚、さらには感情や思ったこと（心理描写）なども文章化できます。

ともあれ私、僕、俺といった一人称は、その人物に作者が入り込んで書きやすいというメリットがある反面、その人だけの動き、周辺しか描けないというデメリットもあって、実は難しいと認識しましょう。ＰＯＶ方式のみで運ぶのが非常に難しいように。

プロ作家の作品を引いてみます。**星新一**のショートショート『**地球から来た男**』。

ちなみに星さんが書かれたたくさんのショートショートは、小説のイロハを学ぶのに恰好の教材です。視点別による描き方だけでなく、設定の説明や描写、物語をおもしろく運ぶための構成、手法などなど。

【サンプル⑥】

気がつくと、おれは野原に横たわっていた。砂漠でなく草がはえているだけ、まだましかもしれないと思った。いや、こうして呼吸していられることに、第一に感謝すべきだろう。

からだを起こし、あたりを見まわす。小さな丘が並んで、まわりを取りかこんでいる。おれのいるのは、くぼ地というべき場所だった。どこにも人影はない。

という書き出し。タイトルのように一人称であるおれが、地球ではないどこか他の惑星で目覚めるところから始まります。そんなところに来てしまったおれの見た目による情景描写、感慨が続き、一行空いておれ自身の簡単な紹介になります。

【サンプル⑥続き】

おれは小さな調査会社につとめていた。商品についての消費者の感想とか、新製品の購買層とか、地区別の好みの差異とか、経営状態とか、さまざまな依頼を引き受けて調査するのが仕事だった。

ある日、上役に呼ばれた。

「出張してくれないか」

「いいですよ」

この上役の命令からおれは、某研究所に忍び込んで産業スパイをするはめになり、拘束され、研究所が開発したテレポーテーション装置で、地球以外の惑星に追放されたことが書かれています。

もちろんこの小説は最初から最後までおれの一人称で通されています。さて、その惑星はどんなところで、おれはどうするのか？　興味のある方は読んでください。

Lesson8　ブログの延長で一人称小説を書くな

これまで、初心者が入っていきやすい一人称について述べてきましたが、**一人称小説の注意点**をまとめておきます。

「私は」「僕は」「自分は」といった一人称が書きやすい理由は、書き手の思いなり感慨、見た目＝私（僕、俺）として展開しやすい。昔からある日記だったり、近年目まぐるしく増えているネット上のブログなどは基本的に、個人（私）の日常や体験談を書きますので、ほとんど全部一人称ですね。

そうしたブログなどで書き慣れた人が、「小説も書いてみよう」とチャレンジするケースが増えています。すると、そのまま一人称小説のスタイルとなり、結果日記的な自分語りやエッセイ風、あるいは自身の赤裸々な体験や恥などを暴露するいわゆる「私小説」が多くなります。

作者の感慨や体験を、〝私〟に託して綴ったり、語って聞かせるという手法は、書き手は入っていきやすいのですが、それで読者の興味を失わずに展開させるのは至難の技だと認識しましょう。つまり語りのうまさが求められるのです。

無料のブログであっても、多くの読者を獲得するには、何らかの売り、その人だけの特別な何かがないと難しいでしょう。ましてやお金を払って本を買ってもらう小説とするには、ブログの延長では通用しません。特にこれは純文学系新人賞の下読みが、愚痴まじりに述べる感想に顕著です。

ともあれ、一人称は〝私〟で物語を展開させます。常に私の行動なり見たものしか書けませんので、まずは私の情報をどう伝えるか？　さらに、私と関わる人物たちの心情なり行動を、どう表現していくかがポイントになります。

また、一人称小説の手法として、まさに〝私〟が誰か（読者の場合も）に語りかけるというスタイルもあります。

例えば、そもそもシナリオから出発して、ベストセラー作家となった**湊かなえ**さんは、『**聖職者**』という短編ミステリー小説で「小説推理新人賞」を受賞しました。最初の単行本の『**告白**』は、『聖職者』をスタートとする短編連作集として書かれたものです。

「愛美は死にました。しかし事故ではありません。このクラスの生徒に殺されたのです。」という衝撃的なセリフから始まるこの『聖職者』は全編、女教師がホームルームで生徒たちに語りかけるという構造になっています。

ともあれ、私の体験談や告白であったりする手法は、それだけで展開させるのが難しいために、短編により向くスタイルといえます。

長編を一人称だけでおもしろく展開させるのは、書き手の相当の力量が必要となるわけです。

2011年に発表された**スティーブン・キング**の『**11／22／63**』は、2段組の上下巻という壮大な長編ミステリー小説です。

このタイトルはかのケネディ大統領暗殺の日付を意味していますが、主人公の高校教師ジェイク・エピングが、タイムトラベルの手段を見つけたことから、ケネディ暗殺を阻止しようと、現代と過去を行ったり来たりする物語。なんとこの長編は全編を、主人公の〝ぼく〟の一人称で展開します。

一般読者は「一人称で通されている」といったことは、ほとんど意識せずにジェイクの冒険譚に心奪われて読み進めるでしょう。書き手の端くれとしては、その難しさと、キングの豪腕ぶりにひたすら驚嘆していましたが。

ともあれ、**一人称は小説を書き始める入口としてオススメですが、難しさと裏腹**だということは頭の片隅に留めておきましょう。

Lesson9　神視点小説はすべて落選？

一人称は語り手を「私」「僕」とすることで、書いている作者自身の思いや感慨を重ねやすい。反面、いわゆる「自分語り」となるために、日記やエッセイ、ブログ的になりがちです。

一人の人物だけの行動なり視点で展開しなくてはならないので、ストーリー展開が限定されたり、視点者以外の人物の感情や状況の描き方（伝え方）が難しくなることもあります。入りやすさの反面、実は難しい手法でもあるわけです。

ショートショートや400字で30〜60枚くらいまでの短編、あるいは私小説的な作品を志向されるのでしたら、一人称が書きやすいかもしれません。ある程度の長さの小説、さらにはエンタメ系の小説を書きたいと思う方には、一人称はあまりオススメしません。

ともあれ、一人称でおもしろく物語を展開させ、読者を引っ張っていくのは書き手の力量が求められます。それでも一人称で書こうとされる方は、まず心得として、あなたの「自分語りで、赤の他人である読者をおもしろいと思わせることができるか？」と問いかけてから書き始めてほしい。

さて、これに対するのが**三人称**ですが、三人称を理解するために、**神視点（多視点）**について述べておきます。

というのは、シナリオは三人称多視点で書かれるため、シナリオを書いていた人が三人称で小説を書くと、ともすると神的な視点で書いてしまって、小説としてのクオリティを下げてしまうケースが見られるからです。

まずは「**神視点ではない三人称**」をしっかりと理解した上で小説とすることが、脚本から小説にするための必須条件でもあるのです。

神視点とはどういうふうに書かれるものか。以前サンプルとした九州から上京してきた18歳の少女の物語。

【サンプル⑦】

日野真美は人混みに揉まれながら渋谷の交差点を渡った。喜びを通りこして圧倒されている。歩きスマホの女子高生にぶつかり、ガン見された。怖い。

そんな真美に職業的な嗅覚で接近してきたのが佐倉徹だ。24歳のキャバクラのスカウトマンの佐倉からすると、まだ18歳の真美なんてウブな羊にしか見えない。渋谷は若者の街、聖地でもあるが、危険な落とし穴や罠が仕掛けられたジャングルでもあるのだ。

お分かりでしょうか？　こうした書き方が三人称多視点、いわゆる神視点の書き方です。作者自身が神的なポジションで、それぞれの人物たちの動きや心情、情報などを述べてしまう。

実はこうした神視点小説も昔からあって、間違った書き方ということではありません。例えば、**芥川龍之介**の諸短編『**鼻**』『**芋粥**』『**蜘蛛の糸**』などは、作者が客観的に人物を紹介しつつ、彼らについての物語を綴るという神的視点で書かれています。ただ芥川の短編は、そこからその人物の物語として展開させており、むしろ意図的な神視点となっていて、寓話、小説としての完成度を高めています。

ですが、神視点は日本のエンタメ系小説ではほとんど認められていません。**大沢在昌**著『**小説講座売れる作家の全技術**』（角川書店）の中で、受講生の質問に答えて大沢氏は、「**もしも私が新人賞の選考委員なら、神視点の作品はすべて落選にします。**」と断言しています。ただし、この指南書は、大沢さんの専門のミステリー小説を書くことを想定しています。その場合はという但し書きがつきますが。

Lesson10　ミステリーの神視点はＮＧ？

小説を書く際の「人称」について。三人称に入る前に、神視点について考察しています。作者（神）が客観的にその場面の状況や、各人物の描写や心理まで描いてしまう手法がいわゆる神視点で、三人称多視点的表現でもあります。

シナリオは原則的に三人称多視点表現です。ただし、表現方法がという意味で、中心となって物語を運ぶのは主人公でなくてはいけません。それはシナリオも小説も同じ。

ただ、シナリオを書いていた人が小説を書こうとして、シナリオと同じ感覚で、神視点で書いてしまい、それが小説の新人賞とかの場合に欠点とされたりする。あるいは実際に神視点癖が抜けない、もしくは視点のとらえ方を理解しないままで書いていて、「小説になっていない」と見なされることもあります。

大沢在昌さんのコメント「**もしも私が新人賞の選考委員なら、神視点の作品はすべて落選にします。**」に関しては、**ミステリーの場合という但し書き**を加えました。簡単に補足しておくと、ミステリーというジャンルは、何らかの謎を読者、ないし犯人以外の登場人物たちに提示して、その解答を終盤で明らかにする、という基本構造があるためです。

例えば、殺人事件が起き、探偵役の主人公が謎を解いていくとします。３人の容疑者の中に真犯人がいる。この場合、視点者である探偵が、事件の現場にやってきて、現場の状況を見て、容疑者たちに接触して真犯人を割り出していくという構造となります。読者は探偵の視点になって真相を追いかけられる。これが（全部を知っている）神視点で書かれると、読者もその目線になりますし、そこで真犯人心理だけ隠すとすると、アンフェアな描き方になってしまいます。

ミステリーではないジャンルであっても、三人称多視点で書かれていると、読者は誰に感情移入していいか分からないまま読むことになり、混乱させてしまう恐れが多くなります。例えば、

【サンプル⑧】

佐倉に連れてこられたバーの空気に真美は圧倒されていた。半裸の女と男がステージで絡み合っていて、男ばかりではない、真美と同じくらいの年の女までが嬌声をあげている。真美は帰りたいと思ったが、佐倉はそんな生やさしい男ではなかった。そうはさせるものかとほくそ笑み、女の手を離そうとしない。


一読すると問題がないように思えるかもしれませんが、**同じセンテンスの中で、真美視点と佐倉視点が混在**してしまっています。

真美視点で通すなら、後ろの文は〝**真美は帰りたいと思ったが、佐倉が手を離してくれない。そんな生やさしい男ではなかったようだ。真美を見てほくそ笑んでいる。**〟といった書き方にしなくてはいけない。

もちろん多視点が絶対ダメということでもなく、読者に視点者が変わったと分かる書き方になればいい。同じセンテンスの中で視点を混在させるからややこしくなるのであって、真美の視点で描いた後で、段落を変える、できれば行を一行空けるなどしてから、佐倉視点に変わったという書き方にす

る。

ただし、これも問題があって、数行ごとに視点者がコロコロ変わったりすると、読者はやはり誰にも感情移入できなくて、あらすじ的に起きていることだけを追いかける印象となったりします。

この「**あらすじ的小説**」というのも、シナリオから小説に移行しようとする人に見られがちな欠点のひとつです。

Lesson11　プロット的文体って?

脚本を書いていた人が小説を書く際の大きなメリットのひとつ、「映像表現イメージ」は、欠点となってしまうことも稀にあります。ト書的な文章で綴ることで、いわゆるプロット(あらすじ)文体になりがちなのです。

脚本家が現場で仕事をすると、企画書を作ることを求められたりするのですが、そこに添えられるのが、ストーリーを要約したプロットです。

プロットはセリフを適宜入れたりしますが、小説的な細かい描写は邪魔になることもあり、できるだけ簡潔な文体で書かれます。しかも、要約ですからまさに神視点で書かれることが多い。この書き方に慣れたまま脚本家が小説を書こうとして、ついプロット的になってしまったりする。例えば、

【サンプル⑨】

いつものように大混雑の渋谷の街。

いかがわしい界隈に続く道玄坂を佐倉と真美が登って行く。

固い表情の真美を佐倉が見てニヤリと笑った。

佐倉はキャバクラのスカウトマンで、田舎出の真美を捕まえたのだ。

真美はそんなことはまるで知らない。

「どこへ行くんですか？」

不安そうな真美の呟きに、慣れた口調でいう佐倉。

「大丈夫だよ。ボクを信用してよ」


こうした文体で書かれたものが「**プロット（あらすじ）的小説**」です。かつて大流行した小さな画面で読む「ケータイ小説」などでは、こうした文体でも通用していました。

実際、「小説講座」などで、受講生の皆さんに宿題を出していただくと、これに近いプロット的な習作が珍しくありません。

神視点であることや、ト書調の体言止め、現在形、さらには短いセンテンスの連なりがプロット文体になってしまう原因です。そこを直すだけで小説的な表現に近づきます。**真美の三人称一視点に**してみます。

【サンプル⑩】


いつもそうなのだろう、渋谷の街は大混雑していた。

「道玄坂」と書かれたプレートの坂を、真美は佐倉と共に登って行った。風俗店のけばけばしい看板や、ラブホテルのネオンが真美には眩しくてつい目をそむけてしまう。佐倉は目をくれず、真美を見て、ニヤリと笑った。

「どこへ行くんですか?」

田舎者と思われたくなくて突っ張っていたけど、不安を隠せない声が出た。

佐倉は慣れたふうな口調で真美にいった。

「大丈夫だよ。ボクを信用してよ」

違いがお分かりでしょうか?

どう書けば小説的で、こう書くと違うという線引きは明確には示せないのですが、ともあれ三人称であっても、視点者を固定することで、ト書調、プロット的な文章を避けることができます。

さらに三人称一視点とすることで、真美が見た情景として描写をすることになりますし、心情も描けます。

Lesson12 〝私〟を〝真美〟に置き換えればOK?

一番オーソドックスな書き方とされる三人称です。それも日本の小説では(なぜか?)いわゆる神視点、三人称多視点は避けるべきとされています。シナリオは三人称多視点で書かれますので、脚本を書いていた人が小説を書く際に、この違いを理解した上で書くことが求められるわけです。

ところで三人称は分かりますね? 〝私は〟や〝僕は〟といった一人称に対して、〝真美は〟〝佐倉は〟というように、人物の名前を主語（視点者）として書いていく。〝彼は〟〝彼女はその時……〟といった場合も三人称で稀に使います。

で、三人称一視点というのは、**〝真美は渋谷の混雑ぶりに圧倒されていた。〟**というように、真美という人物の視点と決めたら、真美の見たもの、心理心情や感覚を外さずに、文章として書いていく手法になります。

基本としてのルールですが、真美の三人称一視点ならば、**同じセンテンスで他者の視点を混ぜてはいけない。〝真美は渋谷の混雑ぶりに圧倒されていたのだが、隣に立つ佐倉は、そんな真美を田舎者だなと思っている。〟**といった書き方をすると、視点が混在していると見なされるわけです。

ただ、これが視点の難しさで微妙なところですが、この文章は佐倉の視点だとするならば、問題はなくなるともいえます。ただしその場合、佐倉には真美の心情は見えませんので正確には、**〝真美は渋谷の混雑ぶりに圧倒されているようだ。隣に立つ佐倉は、そんな真美を田舎者だなと思っている。〟**もしくは、**〝隣に立つ佐倉は、田舎者だなとせせら笑った。〟**といった書き方が正解となります。

真美による三人称一視点に戻りますが、では真美の視点を通すということと、〝私は〟という一人称を通すのと、どこが違うのか？

つまり**〝真美は渋谷の混雑ぶりに圧倒されていた。〟**というのと、**〝私は渋谷の混雑ぶりに圧倒されていた。〟**という書き方をすれば問題がないように思えます。

〝私〟という一人称の場合は、私の見えること、心情で通すわけですから、三人称一視点とスタンスは変わらないことになる。

じゃあ、真美の一人称で書かれた〝私〟という主語を、そのまま〝真美〟に変えてみたら、そのまま通用するか？　前項の真美視点で書いた文章の主語を〝私〟に置き換えてみます。

【サンプル⑪】

いつもそうなのだろう、渋谷の街は大混雑していた。

「道玄坂」と書かれたプレートの坂を、私は佐倉と共に登って行った。風俗店のけばけばしい看板や、ラブホテルのネオンが私には眩しくてつい目をそむけてしまう。佐倉は目をくれず、私を見て、ニヤリと笑った。

「どこへ行くんですか？」

田舎者と思われたくなくて突っ張っていたけど、不安を隠せない声が出た。

佐倉は慣れたふうな口調で私にいった。

「大丈夫だよ。ボクを信用してよ」

問題ありませんね。違和感ない。ということは三人称一視点で書く際は、私という一人称ととらえ方は同じでいいということになります。

ただし、これが「視点」の難しさの微妙さなのですが、〝**真美は動揺していた。額に汗の粒が浮いている。**〟というように、三人称であっても若干神視点（客観）的表現を混ぜるのもアリです。が、これが〝**私は動揺していた。額に汗の粒が浮いている。**〟とすると、途端に違和感が生じてしまいます。

Lesson13 〝私は実は真犯人だった。〟はなぜ反則？

「私は」「俺は」「ボクの」といった一人称で書く場合と、「真美は」「佐倉は」といった三人称で書く際の共通点や違いを述べています。

シナリオは三人称多視点で書かれるのですが、小説は基本的に三人称一視点が原則とされます。で、**〝私は渋谷の混雑ぶりに圧倒されていた。〟**の人称を三人称に変えれば問題ないか？ **〝真美は渋谷の混雑ぶりに圧倒されていた。〟**

この変換だと問題ありませんね。じゃあ、一人称で通されている文章を、そのまま人物名にすべて変えれば三人称として通用するか？

三人称一視点の基本は、「視点者を決めたら、その人物の見た描写や心情で通し、他者の視点を混ぜてはいけない」ということですので、一人称と同じです。ですがやはり、一人称と三人称では違いがあるはず。

「真美は」といった人物を示す名前で登場させた場合は、「私は」と表現するよりも客観性が入り込みます。**〝真美は春に高校を卒業したばかりで、この日初めて憧れの渋谷にやってきたのである。〟**という書き方での人物紹介は問題ありません。この主語の〝真美〟を〝私〟に換えてみてください。

これも文章的に間違いではありませんが、私が誰か（読者）に告げているといったニュアンスになりますし、文章として固い印象がします。

もし、一人称でこの情報を伝えたいのなら例えば、**〝やっと来た！　高校生の頃から私が憧れてい**

た渋谷よ！　卒業の春をどれだけ待ったか。〞というような。

逆にこちらの文の〝私〞を〝真美〞に置き換えると、ニュアンスがかなり変わります。一緒に来た誰かのセリフで、真美の思いを代弁している、もしくは自分を真美と呼ぶ人物の思いのようになってしまう。

もうひとつ、三人称とした場合の人物の客観性というは、一人称では通しにくい面も出てきます。例えばミステリーで、〝私〞が探偵役で殺人事件の謎を解いていく設定だとします。私が捜査を行ない真相を辿っていくならば、読者を私と同化させて物語を運ぶことになります。それが最後に地の文やセリフで〝**私は実は真犯人だったのである。**〞といったドンデン（トリック）とするのは反則となる（これを過去にやってのけた画期的な古典ミステリーがあるのだけど）。

〝**探偵のカシワダは**〞といった表現で、探偵役を三人称で登場させ、その人物視点で物語を運ぶ場合も、できるだけ読者をその人物の視点なり心情と重ねられるように書くべきです。ただし、そこに客観性が入り込むために、人物の感情や情報を明らかにせずに書いていくことも許される。

ですので、カシワダがセリフとかで「**実は真犯人は私なんだ**」と告げるのは（そこに持っていくまでの書き方、展開が問われますが）ギリギリありなのです。

カシワダの見たものを描写しつつも、その人物の生い立ちや情報などを全部明らかにする必要はない。一人称も全部を明らかにはできませんし、する必要もないのですが、肝心のことを隠すと書き手の都合になる恐れが出てきます。

また、真美が初めて会った男（佐倉）から声をかけられ、〝**真美はいかにもチャラそうな佐倉の顔を見た。**〞あるいは、〝**真美はいかにもチャラそうな男の顔を見た。男は佐倉というキャバクラのスカ**

ウトマンであった。〟と書いても（微妙に三人称一視点から外れているのですが）ギリギリ間違いではない。これが〝**私はいかにもチャラそうな佐倉の顔を見た。**〟と書くと変で、一人称のルールから外れてしまいます。男が佐倉という名前だということは、「**俺は佐倉っていうんだ**」といったセリフを先に出しておかなくてはいけないわけです。

一人称と三人称一視点はルール的には同じなのですが、**微妙なニュアンスの違いがある**ことがお分かりいただけたでしょうか？

Lesson14 「自分大好き」小説としないために

前項まで一人称で書かれていた〝私〟を、三人称の例えば〝真美〟に置きかえればOKかというと、そうとも限らず、微妙なニュアンスが違ってくると述べました。

これをもう少し簡単な例で示すと、〝**真美は美人だ。**〟というのを、〝**私は美人だ。**〟とするとどうでしょう？

三人称の場合は、読者は「そうなんだ」と思うだけですが、一人称だと「ほんと？」「こいつ自意識過剰なんじゃない？」と思うかもしれません。この差が両者の違いです。

三人称一視点についてまとめる前に、もうちょっと一人称小説について述べておきます。というのは、以前『公募ガイド』誌で、1000字というショート小説を読者に提出してもらい選考するという連載を持っていました。こうした短い小説は一人称が書きやすいのか、全体の7～8割を占めていました。

小説としての完成度の高い作品ももちろんありましたが、多くの一人称小説がエッセイのようでした。書き手が「私」なり「俺」とかになって、日常の体験や感慨、思いが綿々と綴ってある。そうした作品はエッセイとかならば、いわゆる「いい話だね」なのですが、小説としては物足りない。

結局、上記のような書き手の「自意識過剰」、もしくは「自分大好き」物語になっていて、読み手の私としては正直うんざりさせられました。

たまたま小説コンクールの下読みをしていた人たちと話したら、「純文学系とかはそんなのばっかりですよ。私はこんなに有能なのにひどい目ばっかり遭っていて理不尽だ、みたいな」「それと、こんな美しい体験をして、心が洗われた。人生は素晴らしい、とかもあるよ」ともう一人。

笑い話ではなく、こうした印象の小説（実はシナリオも）が近ごろ多い気がします。

一人称小説にそうした傾向が強い印象があるのですが、三人称で書くことで、書き手は架空の人物という認識で動かせるために、「私大好き」小説になってしまう危険性が回避できる。

もちろん、三人称であっても作者自身を主人公（視点者）に投影させ過ぎると、そうした印象になりがちです。これは三人称多視点であるシナリオも同様です。

書き手が人物に投影される、あるいは作者自身の思いや感覚を人物に代弁させるといったことは、創作においては当たり前です。問題はどのくらい（自分が創造した）人物や物語に対して客観性を保てるか？

小説のハウツウ本で「初心者は一人称小説を書くな」と主張している理由は、この**「書き手＝私」の度合いが強くなりすぎる弊害**をあげているケースが多いようです。

私は「書きやすい」「入りやすい」ならば、一人称を選択しても構わないとは思うのですが、改めて「自己陶酔」「自意識過剰」「自分大好き」とならなければ、という但し書きをつけたいと思うようになりました。

ですので、一人称からスタートしても構いませんが、ある段階からは三人称で書いてみることをオススメします。

Lesson15　なぜ三人称でも一視点とすべきなのか？

一人称であっても、章やセンテンスを変えるタイミングとかで、人称であったり語り手を変えるという手法を使う場合もあります。

三人称は基本的に〝真美は〟とか〝佐倉は〟というように、登場人物の名前で物語を展開させていく。で、これもいわゆるシナリオ手法的な「三人称多視点」で書く場合と、一人称手法に近い「三人称一視点」に大別できます。

で、これまでも述べてきたように、近年の小説コンクール（特にエンタメ系の）などでは「三人称多視点」だとマイナス点がつけられるようになっています。その理由を知った上で書くことが求められます。


【サンプル⑫】

真美はスカウトマンの佐倉に、渋谷の雑居ビルに連れて行かれた。

ドアに「六本木芸能社・渋谷支局」と看板があって、壁には女性モデルのポスターが貼られている。

――あれ、この子ギャル雑誌に出てた？

じっと眺めていると、

「知ってる？　弥生みいなちゃん。うちの看板モデル」

真美の不安を逆手にとって、佐倉が得意の口説き文句を並べた。

――この子はチョロそうだ。三日で落とせる。

佐倉は心の中でほくそ笑んだ。

例えばこうした書き方が**三人称多視点**で、真美と佐倉の視点が混在しています。間違いではないし、こうした手法で書かれたプロの作品もあります。

ですが「**三人称一視点**」と作者が決めた場合は、**視点を混在させずに**書かなくてはいけなくなります。真美を視点者としたなら、佐倉のセリフ以後を例えば、

【サンプル⑬】

「知ってる？　弥生みいなちゃん。うちの看板モデル」

後ろから佐倉が得意そうに言う。真美の不安を逆手にとろうとしているのか、スカウトマンの余裕なのか……

――この子はチョロそうだ。三日で落とせる。

なんて思っているに違いない。

というような書き方になります。

基本的に「三人称一視点」とした場合も一人称と同じで、真美なら真美の視点で物語を展開させます。ただこれも章を変えたり、一行空けた後で、別の人物視点に切り替えるといった手法を使ったりします。

要は読者に、ここから人物視点が変わったということが分かるように書かれていればいいわけです。で、一人称で展開していたのに、途中から人称を変えるのはかなり大きな変更という印象になるのに対して、三人称でパーツごとに視点を変えるのは（それが容認できればですが）読者は受け入れやすくなります。ただし、このやり方も心得があります。

ともあれ、三人称を選択した場合は、（コンクールの減点を避けるという意味合いだけではなく）、**なるべくその人物の視点で物語を運んでいく「三人称一視点」をオススメ**します。

なぜならば神的な視点となりがちな「三人称多視点」は、読者も上から目線的になるため、どうしても一人の人物（主人公）に感情移入しづらくなる恐れがあるからです。

Lesson16　視点者を定めたら、我慢してそれを通す

純文学とかではなく、いわゆるエンタメ系の小説を目指そうとされるのでしたら、できるだけ**三人称で書くことをオススメします**。それも三人称多視点ではなく、**三人称一視点**で展開させることを極力意識しながら書く。

特にシナリオを書いていた人が小説を書こうとする際には、この点がネックになることが多いから

です。

述べたように設計図としての役割もあるシナリオは、シーンとなる柱を立てて、ト書で柱の状況や人物の紹介をして、それぞれの人物ごとの動き（アクション）を書いて、人物指定をしてセリフを喋らせる。つまり三人称多視点で書いていきます。

この感覚のままで、小説の地の文を書くと、いわゆるト書調文体、あるいは詳しいあらすじであるプロット調になってしまうことがある。

【サンプル⑭】

真美は佐倉に連れられ雑居ビルに入る。

佐倉は振り返り「ここだよ」と言った。

真美は汚いビルだなと思いながら階段を登る。

「六本木芸能社・渋谷支局」と看板。

佐倉は痛む指でドアを開け、真美を中に入れる。

「おーい、お客さん、連れてきたぜ」

悪巧みを悟られないように佐倉は笑顔でごまかす。

小説講座で出される宿題の中には、こんな文章の作品を出される方がいらっしゃいます。シナリオのト書としても変ですが、小説の文章になっていません。真美と佐倉の視点が混在しているだけでなく、**プロット文章**になっています。どんなにアイデア性あふれる斬新な物語だとしても、こんな文章だと小説とは認めてもらえないわけです。

通用する小説の文章を身につけることが必要となるのですが、そうした方法論や心得はいずれ。まず三人称、それもできるだけ一視点で書く手法を身につけるところから小説の文章感覚であったり、視点のとらえ方を理解した上で、一人称がいいと思ったらそちらを選択すればいい。

で、三人称一視点の場合は、物語を通す視点人物を定めたら、その人物の目線や心理から外れないように書いていきます。

真美が視点者ならば、真美の行動を追い、真美の見たもの、感じたことを通していく。真美と佐倉が一緒にいる場面だとすると、佐倉が何を思っているかとか、何をしようとしているとかは分かりません。**〝佐倉はチョロい女だと思っているに違いない。〟**といった真美の推測的な書き方をします。

どうしても、真美の知らない佐倉側の事情であったり、心理などを描きたい場合どうするか？　シナリオならば真美のいないシーンを作ればいい。小説も基本は同じで、**章を変えたり、行を空けて視点者が変わったことを読者に分からせた上で、**例えば、佐倉だけだったり、佐倉と別の人物とのやりとりを描く。

ただし、これが小説表現のポイントでもあるのですが、この視点の転換をあまり頻繁にやると、読者を混乱させたり、その小説世界に読者を導きにくくさせたりします。

数ページごととか、数行ごとに視点者が変わったり、さらには視点が変わらなくても、場面がコロコロ変わったり、時間軸があっちこっちに飛んだりさせると（映像ではそれが武器になることも多いのですが）、まさにプロット的になってしまい、小説らしさが失われてしまう。

視点者を定めたら、できるだけその人物で通す我慢をする。これも小説を書く際の心得になります。

視点についてのとらえ方、考え方はかなり掘り下げてきましたので、このくらいにして、小説の文章、表現について述べていきます。

Lesson17　地の文で「天・地・人」を表現していく

シナリオはまず、○柱で、場面（シーン）の指定と、そもそもは照明のためである時間指定（昼は省略し、朝、夜、深夜など）をします。

小説にはこの柱指定がなく、シナリオのト書にあたる地の文とセリフで書いていきます。例外的に人物によるセリフ部分を、まるっきりの語り文として地の文的に書いていったり、書簡小説のように手紙文で書いていくといった手法もあります。またシナリオのセリフは、

真美「私をどこに連れて行くの？」

というように人物指定をしますが、小説は「　」でくるだけですから、地の文で誰が喋っているかを分からせなくてはいけません。

あまりにも当たり前の違いですが、初心者の小説、あるいはシナリオ表現に慣れ過ぎた人の小説を読むと、こうした違いを理解しないままで書いている作品にたびたび出会います。

さて、シナリオ、小説に限りませんが、物語は始まりのパーツ、**【起承転結】**の**【起】**で、**天地人**を明らかにしなくてはいけません。**いつの時代の（天）、どこが舞台で（地）、誰（人＝主人公）の話**

なのか？ といったことをなるべくすみやかに読み手（観客、読者）に伝えるように描く。

それが見えないままだと、読み手は描かれている世界に入っていけません。シナリオの場合は、柱を駆使しますのでわりと簡単です。

○渋谷スクランブル交差点（夕）

日野真美（18）が人混みにとまどいながら渡る。

ただし本来の「天地人を描け」というのは、ただ明らかにすればいいという意味ではなく、例えば「人」ならば、主人公など主要人物の人となり、キャラクターとしての魅力や人物像、境遇や抱えている事情などなど、きちんと表現しろという意味です。

それはともかくこの三行でとりあえず、現代の渋谷の夕方頃で、日野真美という18歳の女性が物語の（たぶん）主人公であろう、ということは分かります。

小説の場合は、柱がないので地の文で描いていくわけですが、どう表現していくかは書き手次第になります。

まず選択しなくてはいけないのが、これまで述べてきた人称と視点ですね。〝私は〟という一人称だと、私が日野真美という名前や年齢、性別といった情報を、どう読み手に伝えるかを考えなくてはいけません。

三人称の場合は〝真美は〟で展開させますので、とりあえず視点者が真美という名前なのだということは分かります。

問題は年齢であったり、真美の容姿や事情といった人物情報などをどう表現して伝えていくか？　シナリオ表現も同じなのですが、小説はより文章による書き出しで物語の世界に引き入れつつ、人物の紹介をして、どういう舞台で展開する物語なのかを、できるだけすみやかに読者に示すことが求められます。

脚本は最初のシーンと書き出しのト書を、小説の最初の一行目の文をどう書くか？　さらにどういう場面、局面から物語を始めるか？　書き手は必死に、全精力を注ぐくらいに考えるべきです。ともかく、物語（ストーリー）を進行させながら、そうした情報をいかにも説明ではなく伝えるか？　どう表現すれば、的確にかつ小説世界に読者を導けるか？

Lesson18　視点者が見えるものを書く「情景描写」

基本的に小説は地の文とセリフで書きます。

地の文では読者に、その物語世界の設定を分からせ、登場する人物の紹介をしなくてはいけません。こうした物語上の情報をどう伝えていくかは、シナリオも同様ですし、できれば説明と感じさせずに読者に分からせるのが理想です。

小説の地の文で重要なことは「描写」です。

どういう物語にするか？　キャラクターをどう作るか？　構成をどう立てるか？　といった作劇上のテクニックなどもありますが、小説はともかく「文章による描写」が命、決め手になります。

ただ、こういう言い方をすると、どうしても文章力であったり、いわゆる文学的な素養が必要なのか、と思う人が多いでしょう。芥川賞を目指す、あるいは文学を極めるのだ、と思っていらっしゃる人でしたら、それはもう絶対に追求しなくてはいけないテーマといえるでしょう。

ですが何も、読み手が唸ってしまうような名文美文を書け、と言っているわけではありません。読み手が違和感なくスラスラ読めて、書かれていることが分かる素直な文章でいいのです。むしろ麗々たる美文よりも、はるかにそちらのほうがいい。

どういう文章が悪文なのか？　こういう文章は書くな、というのはいずれ。

ともかく文章による描写ですが、大きく分けると、

①**情景描写**
②**心理描写**
③**人物描写**

の三つがあると思います。もっと細かく分けると（昔の小説ハウツウ本とかをみると）自然描写、性格描写、内面描写、外面描写、さらには環境描写といった語句まで出てきて訳が分かりません。

性格描写なんて、要するにキャラクターの性格づけで、それをどう表現するといいか、といったことのようです。これは三番目の人物描写に入れてしまっていいでしょう。同様に自然描写も情景描写の一部と考えていい。

ともあれまず、①の**情景描写**ですが、物語を運ぶ視点者を定めたら、基本的にはその人物の目線で

見えるもの、情景を文章で描いていきます。読者は、その視点者が見ている（感じている）情景をイメージしながらその物語世界に入っていきます。

これがきちんと伝えられないと、読者は情景なりその場面が見えてこなくて、イライラしてくる。つまり物語に入っていけないわけです。特に書き出しの一行、最初の情景（シーン）をどう描いていくか。


【サンプル⑮】

道がつづら折になって、いよいよ天城峠に近づいたと思うころ、雨足が杉の密林を白く染めながら、すさまじい早さでふもとから私を追って来た。


美文を書こうとしなくていいと言いながら、いきなり美文中の美文をサンプルにしてしまいますが、ノーベル文学賞作家**川端康成**の『**伊豆の踊子**』の書き出しです。

こんな文章はとても書けませんので、皆さんも目指さなくていいのですが、読み込むことで吸収はしてほしい。音読もしてみてください。

情景がありありと浮かびつつ、突然の雨に見舞われた感覚まで伝わりませんか。しかもこの物語が展開する場所が天城峠、すなわち伊豆なのだということもさりげなく分からせています。

Lesson19 「情景描写」はキャメラの映像

小説の地の文、「描写」について、まず①の情景描写。

基本的には物語を運ぶ視点者、人物の目線で見えるもの、情景を文章で描いていく。読者は書かれた描写を読みながら、その場所であったり、人物が見ている風景をイメージする。

【サンプル⑮】の川端康成の『伊豆の踊子』の書き出し。〝私〟という一人称ですが、この文章には神的な視点も絶妙に混じっています。しかも非常に映像的です。

映画監督ならば、明らかに俯瞰で天城峠の情景をキャメラが映し、雨がザーッと山から峠に走っていく様をとらえ、峠道をポツンと歩く私の背中にズーム、主人公の顔をアップにして、という演出をしそうじゃないですか。さらに次の文章はこうです。

【サンプル⑮続き】

私は二十歳、高等学校の制帽をかぶり、紺飛白の着物に袴をはき、学生カバンを肩からかけていた。一人伊豆の旅に出てから四日目のことだった。

視点者である私の的確な紹介（人物描写）です。巧みな情景描写をするには、いつものコツがあるのですが、この『伊豆の踊子』のように、全体の風景を大きく描き、そこにいる物語を動かす主要人物を捉えるというのもひとつの方法です。例えば、私が大好きな小説の書き出し。

【サンプル⑯】

小雨が霧のようにけぶる夕方、両国橋を西から東へ、さぶが泣きながら渡っていた。双子縞の着物に、小倉の細い角帯、色の褪せた黒の前掛をしめ、頭から濡れていた。雨と涙でぐしょぐしょになった顔を、ときどき手の甲でこするため、眼のまわりや頬が黒く斑になっている。ずんぐりとした軀つきに顔もまるく、顔が尖っていた。――彼が橋を渡りきったとき、うしろから栄二が追って来た。

山本周五郎の『**さぶ**』です。この時代小説の主人公はタイトルとなっているさぶではなく、この後でさぶを追いかけてくる栄二なのですが。これも空間から人物の姿が映像のように浮かんできます。

余談ですが、『深夜特急』でインドから西を目指して旅をした沢木耕太郎さんが、すれ違った日本人のバックパッカーと小説を交換したら、この『さぶ』だった。沢木さんはこの書き出しの一行を異国の地で読み、どっと涙が溢れて止まらなかったと書いています。

シナリオの初歩で、ファーストシーンから【起】の部分で、「天（いつ）、地（どこで）、人（主人公）」を分からせろと習うはず。小説は文章による描写でそれを読者に伝えていかなくてはいけない。『伊豆の踊子』は、時代としては主人公の姿から、今ではなく少し前の時代で、天城峠から伊豆が舞台と分かります。

『さぶ』はいわずもがな江戸時代、雨の両国橋の情景と、さぶの心象も伝える人物描写で、時代小説としての世界に読者を導いています。

Lesson20 「情景描写」は視覚だけではない

小説は地の文で「描写」をしながら、物語を展開させます。主に情景描写、心理描写、人物描写の三つがあると述べました。

こうした描写をどこまで書くか？ これはその書き手の個性ですし、近年ではあまり綿密に描写をするのは好まれない傾向にあるようです。これは小説の種類や媒体、ジャンルによっても違います。ひところ持てはやされたケータイ小説などは、地の文は極力少なく、（まさにシナリオのト書のように）簡潔に書かれ（しかしシナリオではできない心理描写などは自由で）、セリフのやりとりをメインにする書き方となっていました。

その流れを継いだネット系小説や、今一番の売れ筋であるラノベ（ライトノベル）も同様の傾向が見られるようです。小さなスマホ画面などに表示される小説だと、長い文章による描写がそぐわないのでしょう。

こうした表現になれた読者が増えていることもあって、今後は読みやすいシナリオ文体のよさを取り入れつつ、小説としての的確な文章表現を駆使できる書き手が求められるでしょう。特にエンタメ系の小説では。

かといって、かつてのケータイ小説調のままでは、通用しなくなっているのも事実です。ページを開くと、会話が延々と続いていて、下部がスカスカといった小説本が増えていますが、私はどうしても小説として認めたくありません。

ともあれ、読者を立ち止まらせない、的確、簡潔な読みやすい地の文による描写があって、磨かれた人物のセリフで展開する。それが優れた小説の文章表現だと思います。

具体的な「描写」の方法に戻ります。

地の文による描写ですが、コツとしては神的な視点、もしくは視点者の見たもの、見えるもの、さらにはその人物の心情などを描いて、読者をその小説の世界へと導いていく。

神的視点、もしくは人物視点で見えるものを書くのが「**情景描写**」です。

【サンプル⑰】

芦村節子は、西の京で電車を下りた。

ここに来るのも久し振りだった。ホームから見える薬師寺の三重の塔も懐かしい。塔の下の松林におだやかな秋の陽が落ちている。ホームを出ると、薬師寺まで一本道である。道の横に古道具屋と茶店を兼ねたような家があり、戸棚の中には古い瓦などを並べていた。節子が八年前に見たときと同じである。昨日、並べた通りの位置に、そのまま置いてあるような店だった。

松本清張『**球形の荒野**』の書き出しです。主人公の芦村節子の紹介をしつつ、彼女の見た目で奈良の古都の情景、たたずまいが描写されています。

情景描写はその人物の視覚が中心となって綴られます。ただ、どうしても情景描写というと、見えるものを描くと思いがちです。

人間には、**視覚**だけでなく、**聴覚**、**触覚**、**味覚**、**嗅覚**という**五感**があります。巧みな描写、さらには心理や人物描写へともなる表現のコツは、この五感を巧みに取り入れることです。引用した『球形の荒野』の文章はこう続きます。

【サンプル⑰続き】

空は曇って、うすら寒い風が吹いていた。が、節子は気持が軽くはずんでいた。この道を通るのも、これから行く寺も、しばらく振りなのである。

最初の表現だと、節子の見た目で〝**おだやかな秋の陽**〟の古都に導かれた感覚ですが、〝**空は曇って、うすら寒い風が吹いていた。**〟で、晴れきっているだけでないらしい肌感覚が伝わります。

Lesson21　ハードボイルドを書くには？

復習しておきますが、小説は基本的に地の文と人物のセリフで展開しますが、地の文もセリフにも「描写」だけでなく、**「説明」の意図**も含まれています。

その物語の設定であったり、事情や背景、情報なども文章によって、あるいはセリフによって語られます。これをいかにもな説明調、役所の通達文とか、電化製品についているマニュアルみたいな解説文だったら、読者は数行読んだだけで放り投げてしまいます。

理想は、書かれている描写や、その人物らしい活きたセリフを読者が追うことで、映像として場面が浮かんでくる。同時にさまざまな情報が、いつの間にかもたらされているといった文章です。

小説の描写には、主に情景描写、心理描写、人物描写の三つがあると述べましたが、これらを巧みにすることで「説明」もしてしまいたいわけです。説明と感じさせずに説明をしてしまっている表現がいかにできるか。

さて描写ですが、**情景描写は視覚だけでなく、聴覚、触覚、味覚、嗅覚の五感も駆使**することがコツです。例えば、

【サンプル⑱】

いつものように十時過ぎに目が覚めた。雨の音はもうしない。隣の部屋に四人で住んでいるフィリピン人の若い女たちが、姦しくタガログ語で何か話しこんでいるのが、ベランダの方角から聞こえてきた。この梅雨空のもと、洗濯物を外に出すか出さないかで揉めているらしい。

起き上がって、ブラインドを上げ、小さなベランダに面した窓を開けた。下を見ると、輪郭をぼんやりさせるように白い靄が新宿の街を低く覆っていた。隣のビルの「個室サウナ姫百合」の大きな看板の下半分がぼやけて見えるほどだ。十二階のこの部屋までは届いていないが、湿気と排気ガスの臭いが、いつもより濃く昇ってきていた。

「モーニン！　ミロチャン」

桐野夏生『**顔に降りかかる雨**』の冒頭近くの一節。私という一人称ですが、村野ミロというヒロインが親友失踪の謎を追いかける傑作ハードボイルド。

五感が巧みに駆使させているのを読み取ってください。目が覚めて雨の音に代わって聞こえてくる

隣人たちの声、窓から見える靄で煙る新宿の街の風景、梅雨時の湿気や排気ガスの臭い……。

こうした情景描写で、主人公のミロが生きている雑駁な世界だけでなく、新宿という街の独特な空気感を読者に伝えています。情報だけでなく、この小説が〝ハードボイルド〟であることも漂わせていますね。

本作は新人ミステリー小説の最高峰とされる江戸川乱歩賞第39回の受賞作です。桐野夏生という大型新人作家の誕生を告げる記念碑的な小説ですが、こうしたメジャーな賞を目指すならば、このくらいのレベルの表現力、文章力が求められます。

ところで以前、「ハードボイルドって何ですか？　私、書きたいんですけど、どうやって書けばいいんですか？」という質問を受けたことがあります。

かなり間抜けな質問ですが、とりあえず「固ゆでタマゴみたいな小説です」と述べつつ、「そういう小説を片っ端から読んでください。それしかあなたが優れたハードボイルド小説を書く方法はありません」と答えました。

これはもちろんハードボイルドに限りません。優れた小説の表現を自分のものにするには、まずは優れた小説を読むしかない。

次項より、**小説を書くための上手な小説の読み方**について触れておきたいと思います。

第2章　基礎編2

作家になるための小説の読み方

Lesson22　読まない人はプロになれない？

小説における「描写」の方法を述べましたが、小説として読みやすく的確な「描写」をするために欠かせない、「読む」ことについて述べておきます。

私は『公募ガイド』誌で「エンターテインメント小説講座」という通信講座を受け持っています。また、シナリオ・センターでも年に一度短期の「小説講座」をやっていますし、受け持っている作家集団ゼミの受講生の中にも小説を書いてくる人が増えています。

そうしたことから初心者の習作を読む機会が多いのですが、年を経るにつれ増加する感想があって、それこそが「小説を読んでいない」です。

ついでに述べると、脚本家志望者の方も、書くことに情熱を傾ける人はいくらでもいますが、古典として残っている名作脚本や戯曲、活躍しているプロの脚本をきっちりと読んでいる人となると、ガクンと少なくなります。

その書き手の読書経験を聞かずとも、書いてきた作品を一読すれば、読んでいないことが如実に分かります。

断言しますが、**読んでいない人は小説家にも脚本家にもなれません**。稀にはその人の感性みたいなものとかで、コンクールで受賞したり、一作とか二作が認められることはあるかもしれませんが、プロの物書きとして生き残るには、その人の蓄積の有無で決まります。

こういう言い方をすると、「私は読書が趣味です」とか「(そこそこに)読んでいます」と主張する方もいそうです。でも、インターネット時代になって、昔に比べると圧倒的に読書時間は減っていませんか? 今まで読書に費やしていた時間(労力)が、ゲームやスマホ時間にとって変わられているはず。

数年前にシナリオ・センターの特別講演で、小説家の浅田次郎さんをお招きしました。浅田さんは今でも、「年に300冊は本を読んでいる」「一日4時間の読書時間を作っている」と、本を読むことの大切さを語っていらっしゃいました。

「読んでいない人はこれからでも挽回できる」とフォローされ、「ただし、勉強で読もうとすると続かないので、楽しみながら読んでほしい」ともおっしゃっていました。

実際創作は、「楽しめるかどうか」が続けていけるか否かの分かれ目でしょう。浅田先生は小説を書くことや、読書そのものが苦痛ではなく、楽しさを見いだせるので、現役のプロ作家として続いていらっしゃるはず。

あなたが一般読者ならば、趣味として読書を楽しむのはもちろんOK。続けてください。ただし、実作者になるための「読書」は、楽しむだけではNGです。

浅田先生とは幾分違う言い方をしますが、プロの書き手になりたいのならば、(続けていくために)**楽しみながらも、勉強するつもりで読書をすべき**です。

浅田先生はすでにプロの書き手として、独自の創作術を身につけていらっしゃるはずですので、年に300冊も勉強のために本を読んでいるわけではないでしょう。

ただし、プロの書き手であるということは、すでにプロの読み手なのです。つまり、楽しみながらも無意識的に勉強として役立てるために、日に4時間も読書時間に充てている。

別の言い方をすると、その習慣を維持しているから売れっ子作家でいられるのです。

Lesson23　書くことが「放電」なら読むことは「充電」

私は映像業界、出版業界半々くらいで仕事をしていますが、特に後者で常々話題となるのが「本（小説）が売れない」で、冗談ではなくこのまま減少化が進むと、出版業界そのものが消滅するのでは？と思ってしまうほどです。

その割に「本（小説）を書きたがる人」は、増えてはいないとしても、読み手ほどには減っていないと感じられますので、差し引きしたとしても（特に活字の）読者はどこに消えた？と思ってしまう。

インターネットの時代になって、活字の一般読者が減るのは、これはもうどうしようもない〝時代〟なのでしょう。ただ、ここで問題としたいのは、一般読者ではなく書き手志望者である皆さんが、「読書」体験を欠落させていることです。前項の断言を繰り返しますが、「読書」をしない書き手は、プロの作家にはなれません。

さて、作家になるための「読書」の方法ですが、これも実は簡単ではありません。一般読者ならば、自分の好きな作家やおもしろそうと感じた小説、評判になった本を手にとって読み、「おもしろかった」とか「つまらなかった」「途中でやめちゃった」で終わって構いません。

映画やドラマを観るという体験も同じでしょう。創り手側に入ろうとする人であっても、基準となるのは自身の感じ方ですので、そこまでは同じでいい。

ただ、そこから創る側に加わろうとするならば、「分析」であったり「研究」といった次のステップにもう一歩踏み込むことが必須となります。

小説家の浅田次郎さんが「年に３００冊本を読んでいる」というのは、一般読者として楽しみながらだけでなく、プロの書き手として吸収するために読んでいるはずだ、と申し上げたのはそういうことです。

書き手たらんとする皆さんが、「読書」そのものを怠っているということはすなわち、作品研究どころか、一般読者の感想の段階にも至っていないことになります。初心者の小説らしきものを読んでいて、書きたいという思いとかは分からなくはないですが、それ以前の読んでいないがゆえに最低限の「小説のイロハ」的なことも理解していないと思うのです。

すでに故人になられたのですが、作家の**後藤明生**さんの『**小説——いかに読み、いかに書くか**』（講談社現代新書）という優れた指南書があります。

この中で、〝**小説を「書く」ことが「放電」だとすれば、小説を「読む」ことは「充電」だといえる。**〟という名言があり、かつ後藤先生は、「放電」よりも「充電」のほうに重点を置きたいと述べ、〝**その「充電」はいわゆる名作鑑賞ではない。なぜなら名作鑑賞は受け身の読み方だが、「充電」といった場合は、受け身ではなく書くことと対等、もしくは「充電」のほうが「放電」よりエネルギーを要するかもしれない。**〟といった旨を書かれています。

つまりこの本は、後藤先生がさまざまな古典や名作を、いろいろな角度から読み解くことで、作者がどう書いていったかを検証する形式になっています。

ただ「読む」だけならばそれほど難しくない（今はそれさえできない人が多いのですが）、しっかりと読み解くためにはエネルギーがいる。

ところで、簡単にいうと読み方にも「速読」「乱読」「精読」「熟読」などなどいろいろとありますね。どういう読み方をすべきなのか？

Lesson24　小説の「速読」は無意味です

「読書」をしない書き手は、プロの作家にはなれない、と繰り返し述べていますが、じゃあどのように読むべきか？

まず前提として、やはり楽しみながら読書をすべき。そもそも作家になりたいのに、「本を読むのは嫌い」という人はいないでしょう。本は読まないけど作家はかっこいいからなりたい、と思う人がいたら、顔を洗って出直しましょう。

どなたも子どもの頃や大人になってからも、心を揺さぶられる本との出会いがあって、自分も書きたいと思ったはず。本（作品）に感動する感性は、書くためにもベースになりますので、けっして失わないように。

さて、浅田次郎さんは「年に３００冊の本を読んでいる」という話を紹介しましたが、これを聞き「私もそのくらい読まないといけない？」と思ったかもしれません。これは真似しなくていい。無理ですから。

プロの作家（であり読み手でもある）浅田さんは、長年の経験から質をともなう〝乱読（多読）〟ができるのだと推察します。

〝乱読〟はその字のように、片っ端からいろんな分野の本を読み、量をこなすという読書ですが、これは時間と体力のある若い頃とかではないとできません。もしあなたが、今それができるというなら、人生の一時期くらいは、乱読期を持つのはとても有効です。

私自身は中学時代がこれで、中学校の図書館の貸し出し数が、3年間ずっとトップでした。この時期に古今東西の名作文学から、（当時評判の）ミステリー、SFといったエンタメ小説までほぼ網羅しました。お陰で国語と社会以外の成績はまるでダメで、高校受験を失敗したほど。

今となっては、とてもドストエフスキーの『カラマーゾフの兄弟』を読み直そうとは思いませんし、そんな暇もありません。

もうひとつ、量をこなすのに〝速読〟というのがありますね。時間がない現代人は誰でも一度や二度、この〝速読〟に憧れたりしますし、たくさん出ている「速読術」の本を、手に取ったりしたことがあるかもしれません。

あなたの読む本が小説ではなく、実用書とかマニュアル本ならば〝速読〟であっても構わないでしょう。ですが、小説家をめざすために古典であったり、新作の小説を読むには、〝速読〟では意味がありません。

ストーリーとかだけを知りたいならば、あるいは短いセリフのやりとりだけのネット小説家を目指すというならば、若干の意味はあるかもしれませんが。

これについて芥川賞作家の**平野啓一郎**さんが『**本の読み方　スロー・リーディングの実践**』（PHP新書）で、まったく同じことを主張されています。

平野さん自身、仕事柄読まなくてはいけない本も多く、長年〝速読〟に憧れていた。が、試してみた結果、〝**読書を楽しむ秘訣は、何よりも「速読コンプレックス」から解放されることである！**〟という境地に達したそうです。

それから平野さんは、量から質への転換として「スロー・リーディング」を実施し、勧めるようにもなったとのこと。

この本では、第1部の多くを費やして、〝速読〟の弊害であったり、意味のなさを検証しています。納得するか否かは皆さん自身で確かめてください。

「なぜ小説は速読ができないのか」という主張には、私も大いに賛同しました。小説のプロット（筋）にしか興味のない速読者には小説の描写や細かな設定は無意味だけど、小説にとってはそここそが大切で、それを読むべきだと。

この平野さんの主張はまさに、小説を書こうとする人こそが身につけるべきスキル、方向性を示しています。

Lesson25　「精読」でプロット、ト書との違いを知る

本の読み方にはいろいろあり、時間や体力があるならば「乱読」の一時期を持つのは有効です。けれども多忙な現代人は無理でしょうし、乱読どころか、昨今の傾向としてまるっきり、あるいはせい

ぜい年に数冊しか小説（本）を読まないくせに、「作家になりたい」とのたまう人が増えています。量をこなすために、要点やプロットだけを把握する「速読」。この方法を全面否定する芥川賞作家の平野啓一郎さんの意見に、私も賛同します。古典とかを読むのが面倒なので、ストーリーやテーマ、作品の評価を知りたいならば、あらすじ本とかを読めばいい。知識、情報は得られます。

平野さんは『本の読み方　スロー・リーディングの実践』の中で、〝**「量」の読書から「質」の読書**〟が大切で、〝**一冊の本を、価値あるものにするかどうかは、読み方次第である。**〟と述べ、平野さん流の「スロー・リーディング」を推奨しています。

特に、小説は速読できないし、その理由は〝**小説には、様々なノイズがあるから**〟だと述べています。ノイズというのは、物語を展開させるための細かい描写や設定、混入物ということです。

ただストーリーを追うだけならば、それらはなくてもいいわけですが、小説を小説たらしめているのは、こうしたノイズ、すなわちディテールだから、それこそをじっくりと読まないと小説を味わったことにならない、と。

この本は一般読者向けに書かれていますが、作家志望者こそ実践すべき読書法かと思います。興味のある方は読んでみてください。

シナリオを書いている人が小説に移行しようとして、一番のネック、クリアしなくてはいけないのは、ト書文体や企画書のプロット調から、いかに小説の文章、〝描写〟ができるかだとこれまでも述べてきました。

企画書のプロットはシナリオにする前の段階ですから、エピソードであったりストーリー展開が分かればいいので、凝った細かい描写などは邪魔になったりします。企画書は客観的に眺めて、検討をするために書かれるから。

ですが、小説がそのように書かれていたのでは、読み手はその世界に入っていけませんし、小説を読む喜びは得られないでしょう。実用書とかなら、速読でも目的は達せられるかもしれませんが。

あるフィクションの世界を築いて、そこに読者を誘う小説は、ストーリーとは一見無縁のように思えるエピソードであったり、細部を積み重ねることでリアリティを生みますし、ストーリーを運ぶ欠かせない描写となります。

ですので、小説家がどう描写をしているか、描かれたノイズが、その世界や場面、人物をどう形成しているか、などなど。じっくりと読み、学びとるには、「スロー・リーディング」すなわち、「熟読」「精読」をすべきです。

この本では夏目漱石『こころ』、森鷗外『高瀬舟』、カフカ『橋』、三島由紀夫『金閣寺』、金原ひとみ『蛇にピアス』といった、いわゆる古典や純文学作品がテクストにされていて、どう書かれているかを平野さんが解説しています。

こうしたラインナップを見ると、「私が目指すのは純文学じゃなくて、エンタメ小説なので」と思う人がいるかもしれません。確かにジャンルによっては、ストーリーのおもしろさがメインになっていて、細かい描写は必要ないという小説もあるでしょう。

そうだとしても、書き手はやはり表現の方法を身につけるためにも、プロ作家の小説を「精読」すべきです。次項に具体的な「精読」の方法など述べます。

Lesson26　趣味本とテキスト本で読み方を変える

以前（本をほとんど読まない）作家志望者から「どうして小説を読まなくてはいけないのですか？」と質問をされました。

「当たり前だろ！」とは怒鳴らずに、「ピアニストになろうとする人なら、毎日ピアノのレッスンをするだけでなく、名ピアニストたちの演奏を何度も聴くはず。どの分野でも同じです」とお答えしました。

書くことにはひたすら熱心な作家志望者がいて（思っているだけで、一枚も書かない人よりはいいのですが）、それはピアニスト志望者が毎日我流で、ピアノを弾いているのと同じです。

優れたピアニストの演奏を聴くことで、どのように曲を捉えているのか、どうテクニックを発揮しているのか、どこがどううまくて、観客を感動させているのか？　さらにはこの人にあって、自分に足りないところはどこなのか？

ただ聴くだけ、読むだけならば、観客、読者でいい。それを理論立てたり、分かりやすく解釈を示せるならば評論家を目指せばいい。

皆さんは、実作者を目指すのですから、鑑賞にプラスして吸収（充電）としての読書を心がけるべきです。それは映画やドラマを見る、書かれた優れたシナリオを読むのも同じ。

実作者を目指すための小説の読み方に絞りこみますが、まず純粋に楽しみながら読むことを前提としつつ、**趣味として読む小説と、創作のテキストとして読む小説に大別する。**

私の場合だと、翻訳ミステリーとかは（例えば『ミレニアム』シリーズ）趣味度が高いのですが、好きな作家（例えば、昔なら藤沢周平とか松本清張や、現役なら村上春樹など）は、**エンピツと付箋を常備して**読みます。

もちろん、前者でも趣味的に楽しみながらも、「なるほどあの伏線がここに来たか」とか、「ここで視点が変わったか」みたいに、無意識にチェックをしながら読んでいますし、後者であっても、読者としておもしろがりつつ小説世界に入っていきます。

ともあれどちらの場合であっても、まずは小説を手にとった段階で、**全体のおおよその枚数**を把握します。短編として書かれているのか、中編、長編なのか？　さらには短編連作ならば、各話が何枚くらいで、全体で何枚くらいか？

文庫本だと（出版社によって多少違いますが）例えば、テキストとしたい新潮文庫の**向田邦子**『**思い出トランプ**』（直木賞受賞作3作収録）は、1Pが４００字原稿用紙で約1・6枚組みで、第1話の『**かわうそ**』は14Pで、22枚くらいの短編になります。このくらいの短編が13篇収録されています。

桐野夏生『顔に降りかかる雨』（新装版の講談社文庫）

Lesson21で引用した江戸川乱歩賞受賞作の**桐野夏生**『**顔に降りかかる雨**』（講談社文庫）は、約３９０Pですので、換算すると約６２０枚の長編小説となります。

22枚の短編と、５００枚を超える長編では当然、書き手のスタンス、手法が違いますので、それを頭に入れつつ、**まずは視点をチェック**します。一人称か三人称か、混合型かなど。

『かわうそ』は、〝**指先から煙草が落ちたのは、**月曜の夕方だった。**宅次は縁側に腰かけて庭を眺めながら煙草を喫い、妻の厚子は座敷で洗濯物をたたみながら、いつものはなしを蒸し返していたときである。**〟とありますので、宅次という人物の三人称。

『顔に降りかかる雨』は、〝**いやな夢を見ていた。私はマイクロバスの後部座席に一人座り、どこかに向かっているところだった。**〟と一人称です。

全体の枚数と視点を念頭に、後は普通に読んでいきます。**エンピツと付箋**はどう使うかですが、読みながら気になったところに線を引く。特に大事な箇所、ページには付箋を貼る。

登場人物が出てくるたびに○をしておく。場所や固有名詞、キーとなりそうな小道具や伏線かと思ったら、とりあえずチェック。もちろん、情景描写、人物描写、心理描写など、優れていると思う文章、表現だと思ったところは、囲ったり、線を引いておきます。

で、**読み終わった後で、もう一度、線を引いてあるところだけをおさらいします。**

Lesson27 作家志望者は「盗む」つもりで読書をすべし

小説家志望者、つまり書き手になるための**読書の方法のまとめ**です。

一般読者ならば、趣味として読書を楽しんでください。おもしろかったのなら、感動や余韻に浸りつつ本を閉じればいい。つまらなかったならば、さっさと忘れるに限る。より熱心な人ならば、ブログや読書ノートに感想などを残すかもしれません。

書き手たらんとする人は、それだけではもったいないのですが、一般読者的な楽しみ方も大事です。

勉強とか分析のつもりで読んでも続きません。ただ、そうであっても頭の片隅に**「盗む」という意識を残しつつ**読んでいきましょう。

紹介した平野啓一郎さんの『本の読み方　スロー・リーディングの実践』では、〝**一冊の本を、価値あるものにするかどうかは、読み方次第である。**〟と主張していて、〝**読書を今より楽しいものにしたいと思うなら、まずはそうした、書き手の仕掛けや工夫を見落とさないところから始めなければならない。**〟と述べています。

この本は一般読者向けに、より深く小説を味わう方法が記されていますし、もちろん実作者たらんと望む人にも役立ちます。

それはそれとして、「盗む」ための読書法を具体的にまとめておくと、読む前にまず大まかな分量を確認します。短編と長編では作者のアプローチが違います。読み手もその作者の取り組み方を探りつつ小説世界に入っていく。

そのために長編ならば、何章で構成されているか？　章立てをざっと確認します。長編にも短編連作形式もあります。

短編でも一、二、三というような小章立てもあります。

後は読み進めていきますが、まず書き出し。どういう場面なり空間から入っていて、視点者と人称が誰かを把握します。

特に冒頭部分は、その物語の天（いつの時代、季節かなど）、地（設定、主たる場所や空間なのか）、人（主人公、視点者、脇キャラ）などを、作者がどのように描いているか、設定しているか、伝えているか？

それからは、文章表現やキーとなる小道具、場所、人物など、とにかく読み手であるあなたが、気になったところを傍線や囲みでチェックしていきます。

これのチェックも慣れです。あまりつけすぎると読み返しの時に乱雑になりますし、キーかなと思ったらさほどの意味はなかった、といった場合もあるでしょう。ともあれそうした読み方をしているうちに、自分なりのチェック法、基準が身に付いてくるはず。

特に「ここは!」と思った箇所(文章表現として卓越している、セリフが素晴らしい、場面としての見せ場などなど)は、チェックしつつ付箋をつけておく。

そして、読み終わったら、まずは一般読者と同じように、本を閉じて余韻に浸ります。それから時間を置いてもう一度開く。なるべく記憶の新しい内に再読をしますが、当然一回目と同じではなく、クライマックスや結末を知った上で、つまり全体像を俯瞰で意識した上で、チェックした部分を反復していく。

こうすると作者の意図や作品にこめたテーマ性と、それをどう物語として作っていったかがより見えてくるはず。もし、期待外の出来、読後感の作品であっても、「つまんなかったよ」と忘れ去るだけでなく、その前にざっと再読するだけで、そうなったのはなぜか?が分かれば「盗む」ことができるはずです。

作家志望者ならば、そうした気づいたことを**メモ的に記しておくノートを作っておくこともオススメします**。平野さんの本では、「音読」や「書き写し」はあまり意味がないと述べていますが、これは私はやり方次第だと思っています。

Lesson28 「音読」「書き写し」が効果を発揮する場合

「音読」や「書き写し」を平野さんが勧めない理由ですが、「音読」は、書き手が黙って文章を綴っている、いわば「黙筆」で書かれていて、〝**作者の内面から読者の内面へ、声帯の肉声ではなく、魂の肉声で届けられるもの**〟だから。

つまり、「うまく読む」「書き写す」といった作業に意識が集中してしまい、内容への注意力が散漫になる。理解の差は黙読のほうが高いから。さらに文章のリズムは実は黙読のほうが正確に感じられる、といった理由で説得力はあります。

確かに文章は、音になったものを聞くよりも、読むほうがはるかに理解度は高くなります。過去の名作でも朗読に向く小説と、まったく向かない小説もあります。

おおざっぱにくくってしまうと、いわゆる文豪作品であったり、純文学という冠をつけられた小説は後者であることが多いでしょう。さらには朗読は長編よりも短編が向いています。

例えば文豪でも、芥川龍之介の短編は向いていますが、森鷗外や夏目漱石、志賀直哉は若干難しいでしょうか。谷崎潤一郎は、全部は難しくとも部分は朗読で聞いても素晴らしいと思います。

この場合の朗読とは、読み手がいて、聴衆に向かって読み聞かせるというスタイルです。それはそれとして、分かりやすくかつ優れた文章は、音読したとしてもよさが伝わると思います。

もうひとつ、脚本家と小説家のセリフに対する意識の違いもある気がします。脚本家はセリフを書く際に音読をしたりします。あるいは志望者に音読の勧めをします。それは役者が喋ることを前提として、観客や視聴者が耳で聞いて分かる言葉（セリフ）になっているか？　人間の言葉になっているかを確認するためです。

すなわち読書の方法として、ここは決めと思われるセリフ、さらには文章としてのリズムが本当にいいかどうか、**気持ちよく読めるセリフや文章となっているかを確認するには、音読をすれば一発で分かります**。

また、平野さんと私との違いをあげると、私は立場的に作家志望者（アマチュア）の文章を読む機会が多いことでしょう。初心者の作品は当然ですが、表現力不足であることが多い。繰り返し述べていますが、文章力はその書き手が、書くことと読むことで磨いていくしかありません。

で、平野さんが指摘するように、作家が書いた小説の魂であったり、伝えようとする本質を理解するといった意図ならば、じっくりと書かれた文章を黙読するほうがいいでしょう。

ですが、私が想定し推奨しているのは、作家志望者に対してであって、小説として通用する文章力を身につける術です。

どう書けば、読者が気持ちよく読み進められる文章にできるか？　書き手となるために、そうした基本を着実に摑むには、音読や書き写しが効果を発揮します。

Lesson29　「音読」し「書き写し」で通用する文章力をつける

小説で世に出るには、内容以前の問題として、読者を立ち止まらせることがなく、**すんなりと小説世界に導く文章力が必要**です。

これを身につけるには、習作を山のように書きつつ、小説を読むことで、プロ作家から吸収する（盗む）しかありません。

【サンプル⑲】

夕陽が海の向こうの水平線に沈んでいこうとしているので、函館の街が古きヨーロッパの港町のような夕焼けの色の街並みに染まろうとしていて、チラチラと灯り始めた、町の明かりが地上の星座になって輝いている。

【サンプル⑳】

鈴木伸一郎は、引き出物ならこれを贈る相手に渡せば誰も文句をいわない高級品、お馴染みの大東京団子の老舗団子屋「大東京本舗」で、高級デパートでも売られている有名店の跡継ぎとして生まれた。

この二つの文章は、宿題として提出された受講生の作品の書き出しです。書きたい情景や人物情報は分からなくもないのですが、読んでいて頭の中が渦巻いてしまいそう。

こうしたクセの強い文章から、ある程度の通用する文章を書けるようになるには、プロ作家の文章を書き写す、それも音読をしながら繰り返す。さらには次に自分の書いた文章を音にして読んでみて比較するしかありません。

私の文章はこんなではない、普通に読める文章を書ける、と思った方は多いかもしれませんね。でもシナリオのト書ならば通用したとしても、小説の文章はそれだけでは通用しません。読みやすさは最低の条件で、その書き手だけの文章、表現法が小説の質を高めます。

通用する文章力を身につけるには、優れた作家の文章や表現を、自分の身体の中に入れ込んで消化して、そこから自身の文章を磨いていくしかない。その一番の有効な手段が「書き写し」や「音読」です。

第3章　基礎編3

作家になるための巧みな表現力

Lesson30　「文章力」は当たり前で「筆力」が必要

作家志望者が作家になるために不可欠な、効果的な読書の方法について述べてきました。読書をする際、一般読者のように楽しみながらも、作家志望者ならば、プロ作家のテクニックや文章などもろもろを吸収する、学ぶ（盗む）つもりで読むべきだというのが私の主張です。

そのために臨機応変に、「熟読」や「精読」を、さらには「音読」や「書き写し」も時にはやってみましょう。

そうした勉強法で皆さんの、小説を書くための「筆力」を高めてほしい。

ところで、もうひとつ「文章力」という言い方があって、このコラムでも何度も、〝**小説を成立させるためには、読者を立ち止まらせない文章が書けることは、最低限の条件です**〟といった意味のことを強調してきました。

あくまでも個人的な見解ですが、私はこの**「文章力」**と**「筆力」を区別して使う**ようにしています。

例えば新人の小説を読み「あなたはそれなりに通用する文章力はお持ちですが、まだ小説としての筆力は足りません」というような。

まず**「文章力」**ですが、その人がそもそもから持っている資質もありますが、訓練によって身につけることはできます。

それこそ、小説に限らず、ネットであろうと、メールや手紙、仕事で提出しなくてはいけない報告書、レポートといった文章であっても、たくさん書くことで、文章力はアップします。

仕事で、内容が伝わらない、意味不明な報告書を出していたら、上司から書き直しを命令されるでしょう。そこでどう書けば、他人が読んで伝わる文章になるだろう、と試行錯誤するはず。ネットやブログでも同じでしょう。

小説の場合も、まずはスラスラと読める文章であることは最低限の作家としての心得です。それだけでなく、優れた小説とするためには、読者をその物語世界に導いて、人物の心情や感覚と重ねたり、情景（映像）として見えてくるように書けなくては、プロの小説として認知されません。

つまり単に「文章力」だけでなく、小説として通用する文章、書き方、おもしろさを含めての**総合的な力こそが「筆力」**です。

優れた書き手による小説を読んでいると、いつの間にか主人公の心情に自分を重ねたり、人物が見ている情景を思い浮かべたりしています。

さらにはドキドキしたり、心揺さぶられたりしつつ、ここから先は「どうなるのだろう？」とか、「まさか！」「そうだったのか⁉」といった驚きを得たり、深い感動を覚えたりします。

これが小説を読む（物語の）醍醐味と言っていい。作者は読者にこれを与えたくて小説を書く（物語を創る）のです。

より多くの読者にこの醍醐味を与えられる書き手こそが、「筆力」を有していることになります。すなわち通用する「文章力」をベースにしつつ、おもしろく展開できる作家としてのテクニックを駆使できて、ようやく通用する「筆力」となるわけです。あえてその要素をあげると、

- そもそものアイデア
- 題材や設定の新しさ、珍しさ、切り口など
- テーマの据え方、伝わり方
- 登場人物の魅力、立体性
- 構成の巧みさ
- 先を読ませないおもしろさ
- 的確な文章力・文体（読みやすさ＋描写力）
- などを展開させる総合的なテクニック

まずこれらを得るために「読書」が必要になるわけです。

Lesson31　巧みな「描写」で「情報」を伝える

さて、読書の方法について述べる前には、小説の地の文の「描写」についてあれこれと考察していました。一口に描写といっても、主に情景描写、心理描写、人物描写の三つがあります。

このうちの情景描写の方法については、人物が見るもの、見えている情景を文章にしつつ、その物語の設定や情報も与えられるとベターだと述べました。

小説は基本的に地の文とセリフで書かれますが、両方を巧みに駆使することで、「描写」をしつつ「説明」もしてしまえる。読者はその描写を文章で追うことで、映像をイメージし、その物語の世界の情報も得ていく。

途中で意図的に説明（解説）をして、分からせるという手法もありますが、できれば描写によって伝えてしまいたい。

この**「描写」と「説明」の配分**も書き手のテクニックです。下手だと情景が浮かばなかったり、人物が見えてこなかったりしますし、あるいはいかにも説明ばかりが続くと読者は飽きてしまいます。

【サンプル㉑】

女房が出ていってから、睦男はいろいろなことを覚えた。

パンは三日で固くなる。食パンは一週間で青カビが生え、フランスパンはひと月で棍棒になる。

牛乳は冷蔵庫に仕舞っておいても、一週間でアブなくなる。冷蔵庫といえば奥から緑色の水の入ったビニール袋が出て来た。緑色のアイスクリームを買った覚えはない。散々考えたあげく、三月前に出ていった女房の杉子が入れた胡瓜だと気がついた。

向田邦子の短編集『思い出トランプ』（直木賞受賞作収録・新潮文庫）の中の一篇**『マンハッタン』**の冒頭です。

この文章から、主人公の睦男は三カ月前に女房の杉子に出ていかれ、それからずっと一人暮らしをしていることが分かります。

〝**女房の杉子は三カ月前に出ていったのである。**〟と書いてもいいわけですが、そうした情報を胡瓜が腐って液体になっている、という具体的で強烈な描写（映像表現）と合わせて伝えているところに注目してください。

この睦男という男の、どーしようもなさも描かれているわけですが、これがつまり描写の中の「**人物描写**」にもなっているわけです。

睦男は十一時に起き出して洗面所で顔を洗うのですが、〝**歯磨きの白いしみの飛んだ曇った鏡に、三十八歳の職のない男のむくんだ顔がうつっている。空気が澱み、時間まで腐ってしまいそうだ。**〟という描写で、睦男の年齢や現状を伝えています。

ご存じのように、向田邦子は長年売れっ子脚本家で、晩年小説を書き、作家としての将来を嘱望されつつ急逝しました。ディテールを活かした巧みな映像的表現を学んで吸収してください。

Lesson32　「描写」と「説明」はどこが違うか？

読者は小説の文章を読みながら、その物語に関する「情報」を得て行きます。どういう世界なり設定で、主人公は誰で、どういう人物が出てきて、何をしようとするのか？　シナリオでもお馴染みの「天・地・人」ですね。

まず読みやすい文章が求められるのは、一度で理解ができない文章では、読者は小説世界に気持ちよく入っていけない。読者を立ち止まらせたり、書き手だけが酔っているような文章は、小説以前ということになります。

さらに小説の文章表現には、ざっくりと「説明」と「描写」に分けられます。

実用書や学術書とかなら、当然メインが「説明・解説」になります。ですが小説はこの「描写」と「説明」を織り交ぜながら書くことが必要となります。

物語の設定や情報を読者に理解させるための「説明」はしなくてはいけないのですが、あまり説明ばかりしていたのでは、読者は放り投げてしまいます。

理想的な小説の表現は、巧みな「描写」をしているうちに、必要な「情報」も読者に伝えていること。

これはシナリオも同じですね。つまらないシナリオの典型は、シーンで人物たちが向かい合ったまま長い会話をしている。もっとひどいのではナレーションでだらだらと述べる。さらには安易な回想シーンで説明したりして、物語がさっぱり前に進まなかったりします。

すぐれたシナリオは、登場人物の行動を追ったり、セリフを聞いているうちに、いつの間にか物語が進行していて、情報も得ています。

小説の「描写」に戻ると、地の文による描写には主に、「情景描写」「人物描写」「心理描写」があります。

このうちの「人物描写」の文例として、前項は向田邦子の短編を挙げました。

もう一例として**宮部みゆき**の『**ぼんくら**』（講談社文庫）の上巻から、主人公を描写した文章を引用します。

【サンプル㉒】

井筒平四郎は働き疲れた馬があくびをしたような顔をしている。背丈は高いが猫背なので、どうかすると四十六という年齢よりもさらにじじむさく見える。定町廻り同心の巻き羽織は粋でいなせと誉められる江戸の風物の一つだが、それだって人によるというものだ。平四郎の巻き羽織はいつも、彼の痩せた体の両脇に、景気の悪い旗印のように垂れ下がっている。

同心の井筒が事件の謎を解き、解決していく時代ミステリーで、ＮＨＫでドラマ化もされ、岸谷五朗さんが演じていました。

改めて解説の必要もないかもしれませんが、まず主人公の名前と年齢、まったく二枚目ではないことを伝えています。それも巧みな比喩表現を駆使しています（比喩については、諸刃の剣ですので、いずれ詳しく）。

宮部みゆき『ぼんくら』単行本（講談社）

ともあれ、〝**働き疲れた馬があくびをしたような顔**〟で、イメージを決定づけていて、〝**背丈は高いが猫背**〟で〝**痩せた体**〟なこと。さらに、平四郎が身につけている羽織について、〝**景気の悪い旗印のように垂れ下がっている**〟というように。

これを凡庸な書き手だと、そのまま説明文になってしまいます。例えば、

【サンプル㉓】

井筒平四郎は四十六歳で定町廻り同心である。背は高いが猫背で痩せていてじじむさい。同心の恰好は巻き羽織で江戸では粋でいなせの風物の一つとされるが、平四郎だとパッとしない。

これでも充分に通用しそうですが、宮部表現と比べるとはるかに落ちますね。

Lesson33 「心理描写」も映像的に書ける？

小説の「描写」には、主に「情景描写」「人物描写」「心理描写」があると述べました。

この中でもやっかいなのは三つ目の「**心理描写**」かもしれません。シナリオの基礎講座では、最初にシナリオと小説の違いについて学びます。

シナリオは映像の設計図としての役割があるために、ト書は必要最小限で簡潔に、目に見える（映像にできる）ことしか基本は書けません。

〝**あれから30分経ったが、宏は一歩も動いていない。**〟といった時間経過。

〝**宏の身体はまるで岩のように固かった。**〟といった過剰な形容詞表現。

さらに〝**宏は婚約者の由美が現れるのを待っていた。**〟といった人物関係や目的。

そして〝**宏の由美への愛しいという思いは疑いに満ちようとしていた。**〟というような心理描写。

小説の地の文ではこうした文章で、宏が婚約者の由美を待っている姿であったり、その心情や関係性、事情を書いてしまっても構わないわけです。

問題はどのように説明と感じさせずに「描写」をすると、小説の文章として的確か、通用するかということでしょう。

特に「心理描写」として〝**宏は現れない由美のことを思っていた。**〟と書いても何ら問題はないのですが、それではあまりに工夫がなさ過ぎます。

優れた小説の文章、描写は「情景描写」や「人物描写」をしているうちに、その人物の「心理描写」になっていて読者に伝えていたりします。

今回も**向田邦子**の短編**『花の名前』**（『思い出トランプ』所収）から引用をします。

【サンプル㉔】

台所でじゃがいもの皮を剝いていた。去年とれた古いいもは、ところどころに芽をつくっている。包丁の先を使ってえぐりながら、はじめて母に包丁の持ち方をおそわったときのことを思い出した。あのとき剝いたのも、たしかじゃがいもだった。

「じゃがいもの芽は毒があるんだよ」

薄荷と食い合わせると死ぬ、と教わったような気がする。ライスカレーやコロッケのおかずを食べながら、昼間そとで薄荷のドロップを食べたことに気がつき、どうしようと胸がつぶれる思いをしたのは、いくつのときだったのか。

茶の間で電話のベルが鳴った。

常子はやさしい響きに満足し、機嫌のいい声で返事をしながら、小走りにかけ出して受話器をとった。

弾んだ声で名乗ると、

「奥さんですか」

はじめて聞く女の声だった。

「どなたさま」

しばらく沈黙があって、

「ご主人にお世話になっているものですが」

こんどは常子が黙る番だった。

まさかとやっぱり。

ふたつの実感が、赤と青のねじりん棒の床屋の看板のように、頭のなかでぐるぐる廻っている。


少し長めの引用ですが見事ですね。主婦常子の日常の描写と感覚であったり、性格も動作と合わせて描写をしながら、突然（夫の愛人から）の電話。

この前の描写で、常子は大きな電話のベルの音を抑えるために小布団を当てがい、電話を待つようになったというディテールがあります。

そこから女からの電話を受けた時の「心理描写」も、実に巧みな映像的な比喩表現を駆使して描かれています。これぞ小説の文章表現です。

Lesson34　諸刃の剣「比喩」は映像表現が決め手

文章における「描写」は、主に「情景描写」「人物描写」「心理描写」があると述べました。できるだけ的確に、人物（もしくは神的な視点で）が見ている風景や、その世界の状況を「**情景描写**」として描く。

さらに、その視点者本人であったり、視点者の見た目で別の誰かを、どういう容貌や恰好をしているか？　加えて人物の紹介や、キャラクターに関するもろもろの情報などを読者に伝えるのが「**人物描写**」。

そして、これらを描きつつ、視点者や登場している人物の心情や心理、心の動き、考えていることなどを表現するのが「**心理描写**」です。

「描写」に対するのが、いわゆる「**説明**」ですが、これも当然必要となります。

理想としては的確な「描写」をしているうちに、読者に伝えておきたい情報を伝えておくこと。で、**巧みな「描写」は、「映像表現」がキー**になります。

「情景描写」はまさに視点者の人物で（神的な視点であっても）、キャメラが映していくように表現できるか、というのは分かりますね。

「人物描写」も表面的な容姿や扮装、動作や様子などをキャメラによる映像のように描けると伝わります。その人物に関する情報、さらには心の動きなどを加えると、人物の紹介になりますし、「心理描写」にもなる。

さて、そうした文章による表現手法で、書き手の腕、**表現力の差が出るのが、いわゆる「比喩」**です。

何かに喩えることで、イメージを的確に読者に伝えられる。比喩を使うことで、何行もの文章で説明することでも、一行とかで表現ができたりします。

ただし、この比喩表現はその書き手のセンス、技術が求められます。的確でない比喩であったり、いわゆるありふれた慣用句的な比喩（これはイメージを伝えるのにとても便利だったりする）を安直に使うと、一発でその書き手の文章は、「アマチュアのダメ表現」という烙印が押されてしまいます（この〝烙印が押される〟も慣用句的な比喩ですね）。この**慣用句表現**については次項。

宮部みゆきの『ぼんくら』の主人公、井筒平四郎の描写を引用して、〝**比喩については、諸刃の剣です**〟と書いたのはそうした意味です。

ともあれ、ここで引用した〝**井筒平四郎は働き疲れた馬があくびをしたような顔をしている。**〟さらには、〝**平四郎の巻き羽織はいつも、彼の痩せた体の両脇に、景気の悪い旗印のように垂れ下がっている。**〟といった比喩。

さらには前項で引用した向田邦子『花の名前』で、夫の浮気相手からの電話で、それを受けた常子の心情を表した巧みな比喩、〝**まさかとやっぱり。ふたつの実感が、赤と青のねじりん棒の床屋の看板のように、頭のなかでぐるぐる廻っている。**〟という表現。

この三つの文章を読んで、皆さんはどういうイメージを思い浮かべたでしょうか？　宮部表現ならばそれこそ、「薄汚れた馬があくびをしている顔（様子）」であったり、「旗印（は分かりますね）が風もなくて、だらしなく下がっている様」でしょう。

さらには向田表現のなんとイメージしやすいことか。赤と青の（もうひとつは白ですが）、あの誰もが知っている「床屋さんのポール看板がグルグルと廻る様」。それがまさかとやっぱりという相反する感情として、たった一行で伝えられています。

比喩こそが実は、「映像イメージ」が善し悪しを左右する最も高度な文章表現方法なのです。

Lesson35 「比喩」はここぞというとき以外は使うな

小説の文章表現のひとつ、「比喩」について考察しています。

「比喩」のそもそもの意味はお分かりでしょうね。ひとつの物事であったり状態や様相、心理などを、別の何か、物事に喩えて表現する。

比喩も詳しくは「直喩」や「隠喩」「諷喩」あるいは「擬人法」といった表現も比喩の一種で、それぞれ微妙な違いがあります。それらを述べてもページを費やすだけなので、興味のある方は調べてみてください。

要するに何かに「喩（例）える」。「〜のような」とか「まるで〜みたいな」といった表現を使うこと。

この比喩は〝**書き手の腕、表現力の差が出る**〟、あるいは〝**「映像イメージ」が善し悪しを左右する最も高度な文章表現方法**〟だと述べました。

実際、下手に使うとその作品を台無しにする恐れもあります。例えば**中条省平著『小説家になる！』**（メタローグ）には、〝**比喩、「……のように」というのは、ここぞというときにしか出さないでくださ**

い。（略）「玉を転がすような声」とか、月並みになってしまった比喩を逆手に取って使うのは構わないけれども、基本的に比喩は乱用してはいけない。〟と書かれています。

そうなのです。比喩はやたらと使うと失敗します。特にここで書かれているような〝**月並みな**〟使い方をすると、小説としての評価がどんどん低下します。

それもいわゆる慣用句的な比喩表現を極力使わないようにしましょう。ちなみに慣用句が（さらには常套句も）すべてダメという意味ではありません。

我々の生活の中でごく当たり前に使われている用語を、駆使するのは何ら問題ありません。例えば、**「その結果に涙を飲んだ」「薄氷を踏む思いだった」「今日は虫の居所が悪い」「成し遂げるために骨を折った」「身を粉にして働いた」「藁をもすがる思いだった」**といったような。

問題は便利な比喩表現として慣用句を使ってしまうこと。前記の**「玉を転がすような声」**以外でも、**「彼女はカモシカのような脚をしていた」「水のしたたるようないい女だった」「鳩が豆鉄砲をくらったような顔」「男の人生は茨の道だった」「海岸は芋を洗うようなありさまで」「二人の間にはいつの間にか秋風が立っていた」「爪に火をともすような暮らしだった」「孫の可愛さは眼に入れても痛くないほどだった」「走馬灯のように脳裏を過ぎていった」**……

これらが巧みな（それも映像を思い浮かべさせる）比喩表現になっていることがお分かりでしょうか。ゆえに慣用句として定着したとも言えるわけです。

特に非常によく目にするし、我々も便利なのでつい使ってしまう**「走馬灯のように」**という表現を、最初に生み出した書き手は素晴らしい。

でもゆえにですが、こうした「月並み」な、それこそ**「手垢のついた」**慣用句的比喩表現は、より創造的な世界を築こうと思っている書き手ならば極力使わないように心がけるべきです。

ところで、比喩表現の巧者というと、私は真っ先に**村上春樹**が浮かびます。ノーベル賞発表の時期になると、（本人の意図に反して）話題となる現役の日本人作家の第一人者ですが、熱烈なファン（いわゆるハルキスト）がいる反面、嫌いだという人も多い。

私は（ハルキストではありませんが）愛読者の一人です。で、物語なり春樹ワールドを楽しむだけでなく、常に村上春樹の文章、それも独特の比喩表現の巧みさに感心しています。それを読みたくて（見つけたくて）、新刊が出ると買ってしまうくらいです。

で、村上春樹の小説には、上記のような慣用句、常套句的な比喩表現は（私が記憶する限り）一言も使われていません。

Lesson36　村上春樹の「比喩」は何が違うか？

比喩表現の巧者、村上春樹の文章について。**芳川泰久・西脇雅彦**著『**村上春樹　読める比喩事典**』（ミネルヴァ書房）という、とても読み応えのある労作があります。興味のある方は一読をオススメします。

論より証拠、ここに引用されている春樹節の比喩表現をいくつか引用（ごめんなさい、孫引きですが）してみましょう。

【サンプル㉕】

〝女の子の一人一人には綺麗な引出しがついていて、その中にはあまり意味がないがらくたがいっぱいつまっている。僕はそういうのがとても好きだ。僕はそんながらくたのひとつひとつをひっぱりだしてほこりを払い、それなりの意味を探し出してやることができる。セックスアピールの本質とは要するにそういうことだと思う。〟（羊をめぐる冒険）

〝シャワーを出て体を拭いてから、歯を磨き、鏡に向かって自分の顔を眺めてみた。右の頬にはまだ青黒いあざが残っていた。（略）両方の頬はげっそり落ち込んでいたし、髪は少し伸びすぎていた。まるで少し前に息を吹きかえし、土を掘りかえして墓場からはい出してきた新品の死体みたいだ。〟（ねじまき鳥クロニクル）

〝ナツメグは上等なハンカチをそっと広げるみたいに微笑んだ。〟（同右）

〝ウィスキーというのは最初はじっと眺めるべきものなのだ。そして眺めるのに飽きたら飲むのだ。綺麗な女の子と同じだ。〟（世界の終りとハードボイルド・ワンダーランド）

〝私は日比谷公園のわきに車を停め、公園の芝生に寝転んでビールを飲んだ。月曜日の朝の公園は飛行機が出払ってしまったあとの航空母艦の甲板みたいにがらんとして静かだった。〟（同右）

〝私は彼女が公園の中のまっすぐな道を歩き去っていく後ろ姿を『第三の男』のジョセフ・コットンみたいにじっと見ていた。〟（同右）

こうした地の文だけでなく、**セリフにも絶妙な比喩**が駆使されていて勉強になりますよ。いくつか孫引き。

【サンプル㉖】

〝彼女は突然僕に向かって抱きしめてほしいと言った。

「どうして？」と僕はびっくりして訊いた。

「私を充電してほしいの」と彼女は言った。

「充電？」

「体の電気が足りないのよ」と彼女は言った。〟（ねじまき鳥クロニクル）

〝「私、あなたのしゃべり方すごく好きよ。きれいに壁土を塗ってるみたいで」〟（ノルウェイの森）

〝「怖いのよ」と彼女は言った。「なんだかこのごろ、ときどき殻のないかたつむりになったみたいな気持ちがするの」

「僕だって怖い」と僕は言った。「なんだかときどき水掻きのない蛙になったみたいな気持ちがする」〟

（国境の南、太陽の西）

かっこいいですね。

でも「こうしたキザな文章が嫌いなんだよ」というアンチ村上ハルキストの悪態も聞こえてきそうですが。

好き嫌いはともかくとして、村上春樹の小説にはいわゆる慣用句、常套句的な比喩はなく、彼独自の表現になっていることがお分かりでしょうか。映像イメージを駆使しつつ独自の文学表現になっているわけです。

Lesson37　村上春樹と向田邦子の「比喩」の違い

小説の巧みな「比喩」表現の例として、村上春樹の文章を引用しました。

毎年ノーベル文学賞の候補に挙げられ、世界中に愛読者がいて、出す本は必ずベストセラーになる作家です。好き嫌いはともかくとして、それだけ読み手を魅了する世界があり、文章も優れているからでしょう。

少し脇にずれるのですが、「どうすれば書けるようになりますか?」という作家志望者からの質問を受けることがあって、いつも返答に困ります。

というのは、その書き手の作品、レベルによって当然アドバイスが違ってくるし、当たり障りのない一般論や精神論は極力述べたくないから。

ただ、ほとんどの志望者に当てはまる方法なり、**心得が二つ**あります。ひとつは「**書き続ける**」こと。(試行錯誤や悩んだりはしつつも) 真っ白な原稿用紙 (パソコン画面) を埋め続ける。

これができる人だけが作家になれますし、今プロとして活躍している人は、認められないアマチュア時代に、誰もがそうしてきました。例外はありません。

そしてもうひとつは、「**優れた書き手の作品、文章から学ぶ (盗む)**」こと。

両方とも一般論 (精神論) じゃないか?と思われるかもしれませんが、多くの志望者の作品に触れていて、常々感じることです。それも二つ目の「学ぶ (盗む)」ということを、ほとんどの方はやっていない。

ただし、盗み方は要注意。例えば村上春樹の文体に影響を受けすぎて真似てしまうと、いかにも春樹調になってしまって、薄っぺらな雰囲気だけの現代小説になってしまう。

村上春樹が売れっ子作家になったばかりの頃 (『羊をめぐる冒険』前後)、純文学系の小説コンクールには、いかにも春樹もどき小説ばかり集まっていたといいます。

学ぶ、盗むというのは、（むろん村上春樹じゃなくてもいい、自分の愛読する）作家の作品の表現法なり作劇法を探り出し、理解した上で参考にして、自分なりの文章、世界として書けるか？という意味です。

「比喩」に話を戻すと、この連載で優れた文章として引用してきた**向田邦子と村上春樹の表現を比較**してみます。これは人物描写を学ぶということにも通じます。

例えばあなたが、大きなおっぱいを持つ女性を文章で表現するとします。どのように書きますか？

〝**彼女は巨乳だった。**〟あるいは、〝**彼女はDカップはありそうなおっぱいをしていた。**〟ダメとは言いませんが、ありきたりでつまらない。

さて、村上春樹はとても大げさな比喩で、笑ってしまいそうです。

【サンプル㉗】

〝彼女の乳房は見れば見るほど異常に大きいように思えはじめた。きっとゴールデンゲート橋のワイヤ・ロープのようなブラジャーを使っているのだろう。〟（羊をめぐる冒険）

これに対して、女性作家らしい細かさ（ディテール）と、巧みな映像的比喩を駆使していた向田邦子の表現です。

【サンプル㉘】

〝細い夏蜜柑の木に、よく生ったものだと思うほど重たそうな夏蜜柑が実っているのがある。結婚した当座の厚子はそんな風だった。さすがに四十を越して夏蜜柑も幾分小さめになったようだが、ここ一番というときになると、厚子は上に持ち上げて、昔の夏蜜柑にするのである。〟（かわうそ）

この短編の『かわうそ』は、全部が丸ごと「比喩」のような小説で、下手なホラーよりも怖い傑作です。絶妙な手法を盗んでください。

Lesson38　向田邦子作『かわうそ』を教材としてみる

『かわうそ』を教材として、どのように学ぶ（盗む）か？　を具体的に考察してみます。これはすなわち、文章表現だけでなく、小説の構造や展開の仕方、また、どのように作家が「発想して、書き上げていくか？」ということも見えてくるはず。未読の方はもちろん、既読の方も下記のポイントを踏まえながらもう一度読んでみてください。

むろん向田さんは故人ですので、実際にどうだったのかは分かりません。あくまでも私なりの考察です。

読む際には一読者として読書を楽しむ、作家が書いた世界に入り込むという前提は大切に。

それはそれとして、実作者たらんとする皆さんかと思いますので、前にも述べましたが、小説を読む際には次のような**ポイント**を踏まえた上で臨みたい。

1．タイトルと作者

2. ジャンル
3. おおよその枚数（長編・中編・短編・ショートショートなど）
4. 章立て（構成）
5. 人称（視点・主人公や人物）
6. テーマ（作者の狙い・売り）
7. 文章表現・セリフなど

改めて説明の必要はないでしょう。例えばミステリーならば、「どうドキドキさせてくれるか？」とか「どんな謎で展開するんだろう？」といった期待感を持って読者はページを繰るでしょう。

さらに400字詰め原稿用紙500枚の長編か、30枚の短編かで、書き手の発想や手法が当然違います。おおよその枚数を念頭に、次の章立てとも合わせて、どう作家が作っているかを探る。

さて、向田邦子の『かわうそ』ですが、新潮文庫の組み版が1P＝40字×17行＝約680字（余白も文字数としてカウント）×14Pですので、原稿用紙に換算すると、22〜3枚くらいの短編です。

ジャンルは現代もののいわゆるヒューマンドラマでしょうか（ホラー小説ともいえる）。三人称で主人公（視点者）は宅次。

書き出しが、〝**指先から煙草が落ちたのは、月曜の夕方だった。**〟で、視点者の宅次が、妻厚子とのやりとりを経ながら、異変を感じて脳卒中の発作に見舞われる、という部分が【起承転結】の【起】になります。

〝**停年にはまだ三年あった。**〟という文章や、〝**九つ年下の厚子は**〟といった表現で、人物たちのおおよその年齢が分かります。夫婦には子どもがなく、持ち家の庭にマンションを建てる建てないかが問題になっているなど。

短編なので章立てはされていませんが、【起】は2P半の一行空きまでで約3枚。6つのブロック（ハコ）で構成されています。

【承】から、宅次が病後、軽い麻痺が残る身体になり、厚子の介助で生活を送る様が描写されます。その過程で宅次は、性格の明るい厚子を改めて観察するようになり、次第に見えてくる「女房の本質」に気づく。で、表題となっている『かわうそ』が登場します。

晩年を迎えたごく平凡な老夫婦がいて、そこに垣間見える真実、これをわずか20枚強という枚数で切り取ってみせる短編の手法。向田さんが、このテーマ性が先にあって書いたのか、あるいは『かわうそ』というモチーフ的なものを見つけたことから、これを描こうと思ったのかは分かりません。

しかし、『かわうそ』という比喩的なものがあることで、この小説が独特のオリジナリティ、向田邦子だけの小説となっていることを感じてほしいのです。

向田邦子の短編小説『かわうそ』を収める『思い出トランプ』(新潮文庫)

Lesson39　いきなり大長編の「もったいなさ」とは？

向田邦子の短編小説『かわうそ』を教材として、読み方の指針とポイントを述べました。小説を読みながら、前述した創作に活かすチェックポイントを活かしてください。

『かわうそ』は400字詰め原稿用紙22～3枚くらいの短めの短編。これ以上短いと掌編、もしくはショートショートとなります。

こうした短編は、どこかの側面なり事件、出来事を巧みに切り取って描くので、切れ味が勝負となります。

ショートショートには、例えば星新一さんの作品群のように、あえてキャラクターの詳細には踏み込まずに、特殊な設定のおもしろさを描くという寓話的なタイプもあります。その設定の特殊（異常）性や、ストンとラストでオチをつけたり、意外性で着地する。漱石の『夢十夜』の各話もこちらのタイプです。

それとは違って、人物の生活の一部や体験を切り取ってドラマとして描く短編もあって、『かわうそ』の入った短編集『思い出トランプ』はこちら。

どうしてこういう話をするかというと、これから小説を書こうとする人にはまず、ウォーミングアップ的に習作として枚数を限ったショートショート、短編をたくさん書くことを奨励するから。

『公募ガイド』のホームページなどをご覧になると分かりますが、毎月山のように小説のコンクールがあります。シナリオコンクールに比べても年間十倍はあるでしょう。

それもいわゆる純文学系とエンタメ系に大別され、ジャンルや枚数で違います。この中でメジャーとされる新人文学賞は、純文学系は１００枚くらいまでの短・中編が多いのですが、エンタメ系は即戦力としての（つまりそのまま出版化できる）５００枚前後の長編が多い。

ですので、早く作家としてデビューしたいならば、エンタメ系の長編で賞をとるに限ります。ごくごく稀に、数百枚の長編をいきなり書いたら、読み応えのある小説になって受賞して単行本化、という書き手も登場したりします。ただそういう人は本当にごくごく稀です。

仕事柄、この「いきなり長編」としか思えない初心者の作品に触れる機会が増えています。で、ほぼ共通する感想こそが、ため息をつきながらの「なんともったいないか」。

５００枚の長編小説を書き上げる時間やエネルギーは、もしかしたら数作の映画用脚本を書くのに匹敵するかもしれません。

そんなエネルギーを注いで書き上げた長編なのに、下読みの人に、あらすじと冒頭の十枚くらいをざっと見されて、「落選」の箱に入れられてしまうのです。

「もったいない」と思う所以。おそらくエンタメ系小説コンクールで7〜8割の、一次で落選する作品がこれです。

こういう書き手へのアドバイスこそが、**まずはショートショートや短編を読み書きし**、しっかりと文章表現や小説の構造、人物の描き方などなどを学ぶべき。それらをある程度身につけてから、中編、長編小説へと向かうのです。

それもなるべく星新一さんタイプの、特殊設定やオチ重視の寓話的小説ではなく、人間ドラマを切り取るタイプの短編を習作として書く。

『かわうそ』を例として、短編のアプローチ法を詳しく述べるつもりでしたが、脇道に逸れました。

Lesson40　受賞作の未読応募者は「落選」します

逸れたついでに、**コンクールにどう挑むか？**　について。

小説コンクールは年間を通しても多種多様、たくさんあり、シナリオコンクールに比べると10倍はあるでしょう。

小説もシナリオもそれぞれで枚数や条件が違いますので、自分に合った、挑戦できそうなものを選んで、**ある程度の傾向を探り**つつ、きちんと準備をして挑むべきです。

ただ、この「傾向を探る」というのを誤解しないように。例えばシナリオコンクールの代表フジヤンは、若い視聴者を意識して、いわゆる月9ドラマみたいな恋愛ものを書けばいい、といったことではありません。

自分の書きたいテーマなり題材を見つけ、できるだけこれまで書かれていなかった作品をぶつけたほうが受賞に近づきます。

それはそれとして、これまでにどのような受賞作があって、どこが評価されたのかを知る。きちんと数年分くらいの受賞作を読むことは、最低限の「傾向を探る」ことになります。私の印象ですが、シナリオも小説もコンクールへの挑戦者は、自分が出そうとする賞の受賞作をほぼ読んでいません。

ただ、メジャー系のシナリオコンクールの場合は、割とちゃんと受賞作を読んだ上で応募する人が多いように思います。それだけ大きなシナリオのコンクール数が限られているからでしょうか。

ですが小説は、まさに『公募ガイド』の情報を見ただけや、ネットで検索して、ちょうど応募している賞に、枚数が合うとか、書けそうだと思って応募する、という人が圧倒的に多い気がします。こういう「読まずに応募だけ」は、シナリオも小説も（数年に一度現れる天才的な書き手を除き）、片っ端から落選します。

自分は「数年、数十年に一人」の天才作家だ、と思うなら、受賞作だけでなく古典とかも読まなくてもいい。むしろ読まないことが武器になって、受賞して作家デビューするはず。

ともあれ小説の賞ですが、どこを目指すかで違ってきます。

売れっ子作家を目標として、**メジャー系の賞**を目指すならば、長編を書く体力をつけつつ、勝負できるだけの題材、テーマを見つけ、かなりのエネルギーや時間をかけて挑むことが必要となります。ジャンルとしてはやはりミステリー。さらには恋愛物、時代・歴史小説、ホラーといった**エンタメ系**でしょう。

童話や児童文学もコンスタントに募集があります。また近年では特に門戸が開かれていて、新しい書き手が求められているジャンルはライトノベル（ラノベ）です。ミステリーに加えてファンタジーや青春小説がメイン。

純文学系は短編が多く、２００枚くらいの中編もあります。こちらも、いわゆる芥川賞に直結する大手出版社の文芸誌が募集するメジャー系と、地方の自治体や団体が主宰する文学賞があります。単発での募集やショートショートもあります。こうした**マイナー系の賞**は受賞しても、すぐに出版化されて本屋さんに著書が並ぶ、ということはまずありません。

けれども腕だめしには、こうしたマイナー系の文学賞をオススメします。特に初心者、文章的な修業がまだまだ必要だと自覚している志望者は、いきなり長編はリスクが多すぎます。

ショートショートや短編と長編では、小説の構造や手法も当然異なりますし、書き手も取り組み方が違ってきます。それはそれとして、通用する文章、その人だけの文体を磨くレッスンとして効果的ですし、物語の構造を学ぶこともできます。毎回違う物語を書くことで、発想の訓練にもなる。

当然マイナー系でも受賞は容易ではありません。以前の受賞作を探し出して、できるだけ読んだ上で挑戦しましょう。

Lesson41　まずは短編で文章力を身につける

前項は小説コンクールの種類や、有効なジャンルなどについて述べました。

大手出版社が主宰する長編のコンクールなどは、受賞すれば多額の賞金を貰えたり、華々しいデビュー、作品の出版化への道筋がつけられます。そうしたメジャー系コンクールは特に困難です。そもそも（４００字詰めで）数百枚の長編を書き上げるだけでも、かなりの時間と労力が必要です。

また、メジャー系の賞（に限らず）で、デビューできたとしても、そのまま消えてしまう書き手もたくさんいます。受賞二作目のクオリティが大事だ、とよく言われるのは、この生き残りの有無に関わるからです。その話は機会があれば、ということで、まずは受賞を目指して頑張りたい。

で、述べたように、いきなり長編のコンクールを目指して数カ月（もしくは数年）もかけて書いて、というアプローチは、ダメとは言いませんが、かなりリスクをともないます。

入選に値する作品は、小説として読める文章力が大前提で、加えて題材、世界、テーマの新しさなり切り口が求められますし、構成や人物像、ディテールの確かさなどなど、総じての完成度が求められます。

これはシナリオでも同じでしょう。ただ、小説の場合は、より前提としての文章力が必要となります。

だからといって、シナリオは文章力がなくてもいい、という意味ではありませんよ。シナリオもト書の的確な表現であったり、なによりいいセリフが書けるか、というのが重要で、それは文章力の有無に関わります。

それはそれとして、小説はなにより文章表現ですので、読んでいて読者を立ち止まらせる、混乱させる文章で書かれていたのでは、内容うんぬんの前に落選とされてしまいます。

長編、短編うんぬんの前に、この最低限通用する文章をまず身につけてほしい。さらにこの文章力だけでなく、小説を成立させるための描写力や、読者を小説世界に導く手法、構成力をつけるために、まずはショートショート、短編をたくさん書くことをオススメします。

ところでシナリオ・センターでは、ゼミや通信でも、受講生の皆さんに（２００字詰め＝ペラという）20枚のシナリオをたくさん書いてもらいます。

そこでは、20枚でオチがついて終わり、というショートストーリーではなく、デッサンとしてシーンや人物、ドラマを描くための訓練（レッスン）だ、と講師から常々言われているはず。

こうしたレッスンに物足りなさや焦りを感じる受講生もいます。実際のシナリオコンクール（特にメジャー系）は、一時間ドラマや映画などがほとんどですから。

スクールによっては、半年くらいかけて長編を一作書かせて卒業、といったシステムのところもあります。それが間違いとは申しませんが、実際に「20枚シナリオ」のデッサンシステムによって、シナリオ表現力をしっかりと身につけたシナリオ・センターの受講生の方が、圧倒的に結果を示しています。

これは小説でも同じだと思います。いきなりの長編を長時間、労力を注いで書いて、あえなく沈没というよりも、**まずは短い枚数の作品をデッサンのように書いて力をつける**のです。

すぐさまデビュー、出版化というのは難しいとしても、ショートショートや短編小説のコンクールもたくさんあります。レッスンとして限られた枚数の中で、通用する作品を書き上げるのです。

こちらの受賞ももちろん簡単ではありません。けれども、文章力というのは、当然ながらたくさん書かないと身に付きません。文章は書かないと下手（稚拙）なままですが、書けば書くほど上達します。書く習慣を身につけるためにも、まずはショートショートから始めましょう。

短編は通常、４００字詰めで20枚以上、80枚くらいまで。ショートショートはわずか一枚から20枚弱くらい。掌編小説もこちらです。

ただ、小説のショートショートは、シナリオ・センターで皆さんが書く20枚シナリオとは若干、主旨が違うかもしれません。

例えば現在ですと、**『公募ガイド』**誌では、高橋源一郎さんとゲスト作家が最終選考をする「小説でもどうぞ」という連載があります。出された課題で読者が４００字5枚以内の小説を応募する。まさにレッスンにもちょうどいいショートショートです。

さらに**『坊ちゃん文学賞』**や**『星新一賞』**といった、本文４０００字内といったショートショートのコンクールも定期的に行なわれています。皆さんもぜひ力試しで応募してみてください。

話を戻すと、ゼミや通信の課題でよく講師が言うのは「20枚シナリオで、オチがついてまとめるショートショートを書かないで」でしょうか。ゼミとかで、こうしたオチがぴしゃりと決まってまとまるショートショート的シナリオは、他受講生の受けもよく、作者も快感だったりします。

ただ、そうした小さくまとまる作品ばかり書いていると、長編が書けなくなったりするし、どうしてもストーリー重視になりがちです。

20枚シナリオ訓練の本来の目的は、描写力をつける、つまりシーンやキャラクターをどう魅力的に描けるか？　なので、小話的なものばかり書いていると、そこから逸脱してしまう恐れがあるわけです。

ですが、小説のショートショートは、ある意味オチが勝負の場合もあります。上記のコンクールの受賞作を読むと、このオチが最後の一行とかで決まって「なるほど！」「おお、そうきたか！」と**感心させられるもの**と、読み終わって、しみじみとした**余韻なり感動を与えて終わる作品に大別**できるように思います。

むろん、どちらであっても作品の完成度の高さは求められるのですが。ともあれショートショートは、この**どちらを目指してもいい**のです。

Lesson42　主人公のいない星新一の『おーいでてこーい』

小説の文章力や、物語としての作り、構造、展開のさせ方などをレッスンするために、まずショートショートを書いてみることをオススメしています。

ショートショート（掌編小説）は原稿用紙1枚程度から、多くても20枚ほど、それ以上になると短編小説の領域に入るようです。

ようですというのは、何枚までがショートショートで、何枚以上からが短編といった決まりが定められているわけではないから。

例えば、一番短い小説として知られているのは、SF作家**フレッドリック・ブラウン**の『**地球最後の男がいた。そこにノックの音が……**』というのがあります。

また**ヘミングウェイ**が「6つの単語からなる小説が書けるか？」という賭けをして書いたという『**For sale: baby shoes, never worn.（売ります：赤ちゃんの靴、未使用）**』というのもあります。

確かにこの2作、じっくりと噛みしめると、あれこれと想像が膨らみ、小説といえばそうなのかもしれません。

ただ、これらはいわゆるジョークとの差が曖昧ですし、日本が世界に誇る短詩型の俳句にも、ストーリー性を感じさせるものがたくさんあります。例えば**芭蕉**の晩年の句「**秋深き隣は何をする人ぞ**」や「**旅に病で夢は枯野をかけ廻る**」などは、小説的な味わいを感じませんか？

そういう領域に行ってしまうと、方向性が分散しそうですので元に戻すと、レッスンとしての小説、ショートショートを書くならば、もう少しまとまった分量にしましょう。

ともかく、ショートショートはいわゆるオチ、結末できれいに着地させて読者を「おお、そうきたか！」とか「なるほど」と膝を叩かせるタイプの作品と、読み終わってしみじみと「いい話だ」とか「胸に染みた」と余韻を与える作品の二つに分けられるでしょう。

ショートショートの達人といえば**星新一**で、以前ここでも一人称の例として『地球から来た男』を紹介しました。星さんの代表作でオチが見事で、しかも特定の主人公がいない傑作として『**おーいでてこーい**』という傑作ショートショートがあります。枚数にすると４００字10枚くらい。

【サンプル㉙】

台風が去って、すばらしい青空になった。

都会からあまりはなれていないある村でも被害があった。

村はずれの山に近い所にある小さな社が、がけくずれで流されたのだ。

朝になってそれを知った村人たちは、

「あの社はいつからあったのだろう」

「なにしろずいぶん昔からあったらしいね」

「さっそく建てなおさなくてはならないな」と言いかわしながら、何人かがやってきた。

という書き出しで、この社の横にぽっかりと底の見えない穴ができていて、若者が「**おーい、でてこーい**」と叫びますが、何の応答もない。次に彼は石ころを投げ入れてみるがそのまま消えていった。この穴は何だろう？　どこまで続くかなどを学者たちが調べても分からない。

やがて利権屋がこの穴を買い取り、ビジネスにしようとします。ゴミやいらなくなったものを、いくら放り込んでも穴は埋まらない。ついに原子力発電の核のゴミまでも捨てられるようになって、そしてある日……。

この小説のラスト（オチ）は見事ですし、ほぼ半世紀前の作なのに、今の時代にこそ相応しいテーマです。ぜひ読んでみて、見事な造りを学んでください。

Lesson43 オー・ヘンリーの名作『賢者の贈り物』の描写

前項は日本で一番のショートショート作家の星新一の『おーいでてこーい』を教材としてご紹介しました。お読みになりましたか？

この400字詰め約10枚ほどの小説は、テーマ性は深いものを秘めつつも、オチが見事に決まった作品になっています。

手法として、客観的に底なしの穴を巡って起きること、変化を綴っていますので、特定の主人公がいません。ある意味、この星に住む人間たち（つまり読者一人一人）が、当事者として身につまされるという結末になっています。

小説ではこうした手法もアリですが、シナリオとしてこの物語を作ろうとすると難しいのがお分かりでしょう。実際にネットで検索すると、数分の短いアニメになっているのを見ることができます。シナリオである程度の作品にする場合は、やはり主人公を設定して、その人物の行動を追って、ドラマを展開させることがポイントになります。本作のような人物を特定しないオチが命の作品は、小説的な作品といえるわけです。

さて、海外のショートショートを得意とする作家で、真っ先に思い浮かぶのは、『**最後の一葉**』の**オー・ヘンリー**でしょう。

『**賢者の贈り物**』という代表作もあります。まさか作家志望者で「読んだことがない」という方はいないでしょう。青空文庫で読めます。そこで読める結城浩訳バージョンは、４００字詰めで15～16枚ほどです（ちなみに『最後の一葉』は約18枚）。

この掌編小説の主人公はデラという若い妻。デラはジムという夫と二人で、週８ドルの家具付きアパートに住んでいます。不況下でジムは週20ドルの仕事しかなく極貧生活。書き出しは、

【サンプル㉚】

1ドル87セント。それで全部。しかもそのうち60セントは小銭でした。小銭は一回の買い物につき一枚か二枚ずつ浮かせたものです。乾物屋や八百屋や肉屋に無理矢理まけさせたので、しまいに、こんなに値切るなんてという無言の非難で頬が赤くなるほどでした。デラは三回数えてみました。でもやっぱり1ドル87セント。明日はクリスマスだというのに。

これでは、まったくのところ、粗末な小椅子に突っ伏して泣くしかありません。ですからデラはそうしました。そうしているうちに、人生というものは、わあわあ泣くのと、しくしく泣くのと、微笑みとでできており、しかも、わあわあ泣くのが大部分を占めていると思うようになりました。

デラは愛する夫のために、クリスマスのプレゼントをあげたいのに、手持ちのお金が2ドルもないことに嘆いている。この書き出しでデラの人物紹介と状況を描写しています。〝**人生というものは～**〟以下はデラの心理描写ですが、なんとせつないか。

この後、デラとジムの苦しい日常や状況を綴りつつ、貧乏暮らしながらこの二人にはそれぞれの宝物があることが述べられます。デラは褐色の美しい髪、ジムは祖父、父から受け継いだ金時計です。

そしてデラはジムに最高の贈り物をするために、ある決心をします。

【サンプル㉛】

さて、デラの美しい髪は褐色の小さな滝のようにさざなみをうち、輝きながら彼女のまわりを流れ落ちていきました。髪はデラの膝のあたりまで届き、長い衣のようでした。やがてデラは神経質そうにまた手早く髪をまとめあげました。ためらいながら1分間じっと立っていました。が、そのうちに涙が一粒、二粒、すりきれた赤いカーペットに落ちました。

常盤新平訳の『賢者の贈り物』を収める『恋人たちのいる風景』(言視舎)

素晴らしい描写ですね。小説レッスンとしてショートショートを書くならば、心がけたいのは、描写、すなわち**ディテールをいかに過不足なく的確に描けるか？** ということであり、その見事な教材こそが『賢者の贈り物』なのです。

貧乏で辛い境遇の若夫婦の物語で、視点者は妻のデラ。夫にせめてものクリスマスプレゼントをあげたいけれど手持ちの金がない。そのことに嘆くデラは思う。

〝人生というものは、わあわあ泣くのと、しくしく泣くのと、微笑みとでできており、しかも、わあわあ泣くのが大部分を占めていると思うようになりました。〟

この心理描写に、小説のラストに繋がる伏線がさりげなく含まれています。つまり、彼ら夫婦はわあわあ泣く大部分の人生であるがゆえに、互いの大切なものを失ってしまう。けれどもわずかに微笑みが残されているがゆえに、けっして不幸ではない。そのテーマ性を読者に余韻として与えていて、美しい物語となっている。アンハッピィエンドではないハッピィエンドです。

また、デラ唯一の宝である髪の描写、〝**デラの美しい髪は褐色の小さな滝のようにさざなみをうち、輝きながら彼女のまわりを流れ落ちていきました。**〟

あるいは髪を切る決心をしたデラの描写、〝**そのうちに涙が一粒、二粒、すりきれた赤いカーペットに落ちました。**〟

こうした**巧みな（映像的な）ディテール表現**があることで、読者はこの若夫婦に感情移入します。ショートショートであっても、きちんと人物の葛藤のあるドラマが描かれていて、最後のオチで感動を導くという造りになっているわけです。

小説のレッスンとしてショートショートを書く際に、目指すべきものがお分かりでしょうか？

Lesson44　枚数がアバウトな小説も制限を与えるべし

小説表現、手法を身につけるために、ショートショート（400字詰め原稿用紙、数枚〜20枚程度）を書くレッスン法を提唱しています。これに慣れてきたら、もう少し枚数を増やして、**短編小説へと進みましょう。**

以前も述べましたが、この枚数については、小説は厳密な規定があるわけではありません。短編も20枚くらいから100枚くらいまで、とアバウトです。100〜200枚が中編で、それ以上が長編とされています。長編も単行本や文庫になる4～500枚くらいが標準とされますが、作品によっては数千枚の大作まで幅があります。

シナリオは映像作品の設計図的な役目がありますし、テレビドラマの枠や、映画でも上映時間等が条件として提示されますので、枚数制限が厳しいのはご存じの通り。ゼミや通信などの20枚シナリオも、この枚数内で書く習慣をつけることで、映像表現の時間の感覚を覚える、内容やエピソード、人物の描き方、ドラマ性などが身についていきます。

これに対して小説は、シナリオほどの厳しい枚数制限はありません。ただ、たくさんある小説のコンクールには、当然決められた枚数があります。

拙著を例にすると、**『しぐれ茶漬～武士の料理帖』**（光文社文庫）は、21編の掌編（ショートショート）小説集ですが、一話を除き各話400字で8～10枚です。

そもそもが、料理教室のベターホームさんの雑誌4ページに納まる「料理を題材とした小説」、という連載だったから。

柏田道夫『しぐれ茶漬け武士の料理帖』(光文社時代小説文庫)

約一年、時代物と現代物を交互に書いたのですが、そこから時代物だけを抜いて、新たに書き足した14作を加えた短編集です。

この「料理を題材に8～10枚で描く」というくくりだったことで、**その枚数内に納める難しさとおもしろさ**を、学ばせていただきました。

一篇が短くてちょうどいいのでしょうか、各地の図書館などの朗読会で何度も読まれています。

で、この短い枚数で物語をつむぐ**決定打は、ラストの数行にある**といったことも実感しました。ショートショートの妙味はラストにあります。21作もあると出来不出来もあるとは思いますが、興味のある方はぜひ読んでみてください。

何を言いたいかというと、枚数制限がアバウトな小説であっても、**枚数やテーマを決めた上で書くほうが訓練になる**ということ。

当然、短編と長編を書く上では、題材の選び方や取り組み方が大きく違います。小説のレッスンは文章表現を磨くというだけでなく、この感覚をつかむことも大事なのです。

ただ、これも前述しましたが、現在の日本の出版業界では、短編小説は冷遇されていて、プロ作家として生き残るには、長編小説が書けたほうが有利です。

長編だと「コンクール受賞作」と銘打って、大々的に単行本として売り出してくれたりします。けれども短編のコンクールで入選しても、そのままでの出版化はまずありません。書き足した上で短編集として出してくれたとしても、おおむね短編集は売れないために、宣伝などに力を入れてくれないのです。又吉直樹さんの『火花』（中編で、芥川賞と話題性があったため）や、湊かなえさんの『告白』は例外中の例外です。

ですから、あなたが長編小説を書ける、という自信と時間と体力があるならば、長編を書くべきです。ですが、小説力をつける、レッスンとして小説表現を磨く、小説の構成を身につけるというならば、いきなりの長編ではなくショートショート、短編小説から始めるべきなのです。

II 実践編

第4章　実践編1

完成度の高い短編小説を書く

Lesson45　短編小説は数日かければできあがる……？

小説修業の段階として、ショートショートからもう少し枚数を増やして短編小説へと進む。短編といっても、本当に短い400字詰め原稿用紙20〜30枚程度から、もう少しボリュームのある80〜100枚くらいのものもあって、当然題材や取り組み方も違ってきます。

まずは短めの30枚くらいを目安に始めてみましょう。

小説に限らず創作は、何を書くか？　どのようなテーマなり世界を追求するか？　題材やジャンルとして何を選ぶか？といったことは、当たり前ですが、個々の書き手の問題です。

あなたが「これを書きたい」と思うものを書く。ただし、ここで追求したいのは、読者を獲得できるか？**読んでもらうに値する小説を書けるか？**ということ。

で、これは短編、長編に限らないのですが、まずは短編でそれを目標としましょう。そのためには、大前提として「読みやすい文章」であること。さらに読者に何かを与える、それが「感動した！」「おもしろかった！」なら文句なし。少なくとも「読んでよかった」と思わせることを目指したい。

なぜ、短編なのか？

述べたように、実際にプロ作家になるには、長編のほうが近道です。長編が書けるという自信をお持ちならば、短編をすっ飛ばして長編小説を完成させてコンクールなどに挑戦しましょう。それが〝読んでもらうに値する〟小説ならば受賞となって、作家デビューに直結します。

コンクールでなくても、何らかの方法で出版社や編集者に認められて、世に出ることもあります。そこから読者を獲得できれば、その後も作家として書き続けることができます。

ただ長編は短編に比べると、はるかにエネルギーがいります。これに関して、日本だけでなく世界中に読者を獲得している作家**村上春樹**は、『**若い読者のための短編小説案内**』（文春文庫）の冒頭で、「僕にとっての短編小説」というエッセイを書いています。

ご存じのように村上春樹は、いくつかの短編も書いていますが、長編が出版と同時にベストセラーになる書き手です。ご自身も〝**基本的には長編小説作家であると見なしています。**〟とのこと。

数年に一冊のペースで長編小説を書き、ときどきまとめて短編小説、さらにエッセイや雑文や旅行記のようなものを書き、合間に翻訳をやる。どの仕事も、〝**文章を書くという作業に携わっていることが、僕は好きなのです。**〟

この感覚、気持ちは私もまったく同じなのですが、大きく違うのは、それで世界中に読者を獲得しているのですから、うらやましい限り。

ともかく村上さんは、〝**しかし現実問題として、長編小説を一冊書き上げるにはずいぶん長い時間がかかりますし、多大のエネルギーが必要とされます。それなりの準備も必要だし、覚悟も必要です。**〟

で、村上さんは〝だからだいたい三年に長編を一冊書くことが、僕としては精一杯なのです。〟これに対して文章はこう続きます。

〝それに比べると、短編小説を書くことは多くの場合、純粋な個人的楽しみに近いのです。とくに準備もいらないし、覚悟みたいな大げさなものも不要です。アイデアひとつ、風景ひとつ、あるいは台詞の一行が頭に浮かぶと、それを抱えて机の前に座り、物語を書き始めます。〟

村上さんはこうして短編小説を書き始めて、〝すべては数日のうちに終わってしまいます。数日かければひとつの物語はできあがります。〟とのこと。

これはもちろん、村上春樹がプロの小説家だからですし、〝「短編小説なんて簡単に書けるんだ」と言っているわけでない〟、〝片手間にひょいひょいとできることではありません。（略）鋭い集中力が、そしてもちろん豊かなイマジネーションが、要求される作業ではありません。〟と前提を述べた上ですが。

Lesson46　最初の一行を書き出してみる

村上春樹は、短編小説の名手として知られるレイモンド・カーヴァーの創作の例を挙げています。カーヴァーは短編の枠組み自体は、朝に書き始めたら夕方までには書き終えるようにした（ただし、あとの書き直しに時間をかけたとか）。

「電話のベルが鳴ったとき、彼は掃除機をかけているところだった」

という文章から物語を開始したが、この時には頭の中にはこの文章ひとつしかなかったとか。

つまり、村上さんのいう〝**アイデアひとつ、風景ひとつ、あるいは台詞の一行**〟から書き始めるということ。村上さん自身はそこから、

「**その女から電話がかかってきたとき、僕は台所に立ってスパゲティーをゆでているところだった**」

という一行から書き始め、そのイメージ（映像シーン）から、誰からの電話で、彼は茹でかけのスパゲティーをどうするのだろう？といった疑問を招集してひとつの物語に換えていった。

そうして『**ねじまき鳥と火曜日の女たち**』という80枚ほどの短編になり、さらにここから5年後に長編への構想に発展し、2年かけてかの『**ねじまき鳥クロニクル**』という長編小説になったということ。

もちろん、プロの作家であるレイモンド・カーヴァーや村上春樹のやり方を、皆さんもそのまま踏襲すればいいということではありません。それで読むに値する短編が書ければ、誰でも作家になれてしまう。

一口に短編小説といっても、書き手によって手法なり取り組み方が違うでしょう。ミステリーのように綿密な伏線を張ったり、最初のトリックのアイデアがあったり、オチ（結末）のイメージなりがあって、そこに向けて導入や全体の構成を立ててから書く場合も当然あります。

ただ、短編を書く心得として、こういう方法もアリかな？とも思えます。小説を書きたいけれど、どこから手をつけていいのか皆目分からないという人は、何でもいい、心に浮かんだイメージ（風景）、誰かのセリフ、何かに対して浮かんだ疑問などをとっかかりにして、**最初の一行を書き出してみる**。

そこから想像を拡げていく。確かに、その先に進めるかは書き手の資質、村上春樹のいう〝**鋭い集中力**〟〝**豊かなイマジネーションが要求される作業**〟になります。ともあれそうした書き方でも、訓

練として有効でしょう。

村上春樹はこのエッセイで、〝**作家は短編小説を書くときには、失敗を恐れてはならない**〟と述べています。長編ではそうはいかないが、短編は自由に好きなことができるし、それが利点なのだと。

Lesson47　あなたは「純文学派」か「エンタメ小説派」か？

短編小説を書くための手法として、村上春樹の見解をご紹介しました。何でもいい、〝**アイデアひとつ、風景ひとつ、あるいは台詞の一行**〟から書き始める。それをとっかかりにして、集中力を高め、イメージを拡げる（このイマジネーション力が豊かではダメだけだと断りつつだが）。

村上春樹は、そうしたスタートで80枚くらいの短編なら数日で仕上げるということでした。

これを聞いて皆さんはどう思われたでしょう？

「なんだ、そんなのでいいんだ」と思われた方もいるかもしれません。

私も、〝**小説を書きたいけれど、どこから手をつけていいのか皆目分からないという人には、こうした最初の一行から書き出してみて、ともかく書き進めてみるという方法もアリかもしれない**〟と述べました。

長編だとそんな書き方ではとても続かないけれど、短編ならばなんとかなるかもしれない。

むろん、それで通用する小説になるかは別問題ですし、それで読者を獲得する小説が量産できたら誰でも作家になれてしまう。

ほとんどの人は、「それは村上春樹だから成立するんだ」と思われたのではないでしょうか？

〝才能〟という言葉の定義は、一般的に使われるほどに単純ではなく、ありなしが簡単には見極められない。

とはいえ、村上春樹は（小説家としての）才能があることは明白だし、彼ならば浮かんだ書き出しの一行から、数日でそれなりの短編を仕上げてしまうことは可能でしょう。新人の頃もそれで書けたのかは不明ですし、今は何よりプロ作家としての経験もあるのですから。

この折に述べた通り、短編小説といっても、書き手によって手法なり取り組み方が違うし、オチ（結末）のイメージなりがあって、そこに向けて導入や全体の構成を立ててから書く場合も当然あります。

これはあくまでも総体としてのイメージですが、構成を立てずに思うままに書いて一編の小説を仕上げるタイプを、いわゆる「純文学派」。ある程度、もしくは綿密なプロットを作って書くタイプを「エンタメ小説派」とします。

断っておきますが例外もあって、純文学作家でも、全体を練った上で書き始めるという人もいれば、ミステリーとかでも思いつきで書き始めて、書きながら辻褄を合わせていって、結末できちんと着地させるという作家もいます。

プロ作家となると、まさに経験から後者のやり方でも通用するようになります。村上春樹はどうみても思うままにの「純文学派」でしょうが、エンタメ小説としても通用すると私は思っています。

そうした定義なり例外は置いておいて、**あなたが「純文学派」で、そうした小説を志向するならば、**思いついた一行なりから書いて短編を仕上げてみる。

その書き手が素養としての物語性なり文章力を秘めていたら、独特の世界観のある文学的な小説が書けるかもしれません。

で、それができるならば、私のレッスン法など読む必要はなく、どんどん短編小説を仕上げて、新人賞なりに応募してください。作品の完成度が高く、読者が獲得できると思われたら、デビューできます。

けれどもそんな〝才能〟がある人は、本当に稀中の稀でしょうし、今プロとして活躍している作家にも、そうしたデビューの仕方ができた人は（村上春樹とか）めったにいないと思います。

多くの作家は試行錯誤を重ね、何度も挫折しそうになりながら、それなりの修業期間を経て、ようやく認められたはずです。

Lesson48 「あのくらいなら、俺にだって書ける」にならないこと

ひとつだけ精神論を。前項まで**村上春樹**の短編小説への考え方を引用しましたが、別のエッセイ『**職業としての小説家**』（スイッチ・パブリッシング）に興味深い記述がありましたのでご紹介します。「オリジナリティーについて」の中、書くことの本質も語っているので長めですが。

【サンプル㉜】

『風の歌を聴け』を書いて、それが「群像」の新人賞を取ったとき、僕が当時経営していた店を、高校時代の同級生が訪ねてきて、「あれくらいのものでよければ、おれだって書ける」と言って帰って行きました。そう言われて、もちろんちょっとむっとしたけれど、それと同時にわりと素直に「でも、

たしかにあいつの言うとおりかもしれない。あれくらいのものなら、たぶん誰だって書けるだろうしな」とも思いました。僕は頭に浮かんだことを、簡単な言葉を使ってただすらすらと書き留めただけです。むずかしい言葉や、凝った表現や、流麗な文体、そんなものはひとつも使っていません。言うなれば「すかすか」同然のものです。でもその同級生がそのあと自分の小説を書いたという話は耳にしていません。

『風の歌を聴け』は村上春樹の処女作にして、受賞作となり、以後の村上ブームの出発点になる長編小説（短めで400詰め190枚弱）です。この後で村上さんは、実は「あれくらいのもの」という小説こそ、書きにくいかもしれないと述べていますが。

まさに村上さんの〝謙遜〟なわけですが、この同級生は、受賞作の感想であったり、それこそ小説に限らず創作の現場でわりと頻繁に見聞きする人物、光景ですね。皆さんも、こっちの同級生にはくれぐれもならないように。

で、ここに通用する小説の本質があります。小説の書き手でこの反対の文章を書き連ねる人も多い。意図的に難しい言葉を駆使し、凝った表現で、流麗な（というよりもゴチャゴチャ飾った）文体。読み手にそう感じさせた段階で、（それが見事に作者の個性とかになっていれば別ですが）最後まで読んでもらえずにコンクールなら「落選」です。

実は「すかすか」と感じさせる小説もあります。電化製品の解説文とか、報告書みたいな文体でたらたらと書かれている。ト書、プロット文体もこれに近いかもしれません。むろん、『風の歌を聴け』は「すかすか」じゃありません。

ともあれ、（実は至難なのですが）誰もがスラスラと読める文章で、でもその人にしか書けない小説こそを目指してください。

さて、短編ですが、先にも述べたように、村上春樹的に、最初の書き出しとかを思い浮かべて、後は思いつくままに書き連ねるというやり方（これを仮に「純文学派」と呼ぶ）と、綿密に、もしくはある程度のプロット、構成を練る、あるいは結末を決めてから書く人（仮に「エンタメ小説派」）に大別できます。どちらが正解というのはなく、書き手の向き不向きもあるでしょう。

まず「純文学派」ですが、小説のレッスンとしてとにかく小説を書いてみる、というならばこのやり方から入っていい。

故**宇野千代**さんは、**「小説は誰にでも書ける」**（中央公論社『或るとき突然』）というエッセイで初心者に向けて次のように書いています。

まず小説を書くためには、誰でも机の前に坐る。〝**この机の前に坐ると言うことが、小説を書くことの基本です。**〟で、必ず毎日坐る。すると書くしかなくなる。〝**何を書くかは、あなたが決定します。**〟が、巧いことや新しいことを書こうとせずに、見えたこと聞こえたこと、心に浮かんだことを〝**一字一句正確に、出来るだけ単純に書く**〟が第一段階の練習。さらに、

【サンプル㉝】

毎日坐ってください。そして、偉大な小説ではなく、たった五枚か十枚の短編小説を書いてください。坐ったら、すぐ、気持ちを集中して「雨が降っていた」と書き出してください。一番最初は、昨日何をしたか、と言うことではなく、昨日何を考えたかと言うことを書いてください。あなたの考え

を追求することが仕事の始めです、正直に、飾り気なく書いてください、そして、読み返して、それが気持ちよく読まれるものであったら、それで充分です。しかし、どこか気持ちの悪い箇所があったら、幾度でも考え直してください。

とアドバイスしています。

この心得のポイントは、まず「書き続ける」もしくは「書く習慣をつける」、さらには「文章を書くことのハードルを下げる、馴れる」といった意味合いが強いかと思います。

Lesson49　なぜ「昨日の体験でなく、考えたこと」なのか？

宇野さんは毎日机の前に坐ることと、まずは正確に書くことを繰り返し述べています。

【サンプル㉞】

電車に乗ったら、あなたの前に坐っている若いお内儀さんが、どうして子供をあやしているか、よく見てください。顔つき、着物の着方をよく見てください。赤ん坊の動きをよく見てください。そして、うちへ帰って来て、それがそのまま、生き生きと書けるような練習をしてください。

この練習を毎日机に向かって座りつつ、〝**小説を書く訓練をしている、と言うことを忘れないでください。**〟と。

この原稿が書かれた頃は、まだケータイもなかった時代ですが、今の電車の中の有り様を宇野先生が見たら何と言うでしょう？

シナリオの講座で受講生に、スマホの画面ばかりじゃなくて、電車で前にいる人を観察して、その人が登場人物だったらどんな場面ができるか、と想像してみてほしい、と述べたりしますが。

ともあれ、宇野先生が推奨する「小説を書くための第一歩」は、〝**毎日机の前に座って、偉大な小説ではなく、たった5枚か10枚の短編小説を書く。**〟それも最初は、〝**昨日何をしたかではなく、昨日何を考えたかということを書いてください。**〟

すなわち、1日の内に、「小説を書く時間を作れ」「1行でもいいので書きなさい」ということ。加えて、初心者がいきなり「偉大な小説を書こう」と思っても続かないし、当然力も及ばずに、挫折するのは目に見えています。

まずはレッスンとして、書く習慣をつけながら、書きやすい短い小説を書く。それによって、小説のスタイルや文章表現を身につけることができてくる。

これによって、それができるようになれば、確実に「作家への道」が拓けるということ。逆にいうと、たまに思いついて小説らしきものを書いていたのでは、作家になるのは覚束ない（思っているだけで1行、1枚も書かないよりは、可能性はありますが）。

これは小説家に限らず脚本家も同じですが、ほとんどの皆さんが「一時も早くデビューしたい」と思う。その気持ちは分かります（私も同じでしたから）。ですが、作家として認められるのは簡単ではありません。

コンクールに挑戦しても一次で落選し続ける。あるいは運よく現場と関わることができたとしても、

（当たり前ですが）ボコボコに叩かれる。それで「やっぱり才能ないや」「向いていなかったんだ」とあっさりと諦めてしまう。そういう初心者を山のように見てきました。

宇野さんのおっしゃることは、そのまま20枚シナリオのレッスンに当てはまることがお分かりでしょう。基礎講座を終えてのゼミのレッスンは、まさにいきなりの偉大なシナリオではなく、まずはデッサンとしてのシナリオをたくさん書くことの大切さです。

若干精神論になってしまったので話を戻すと、次の〝**最初は、昨日何をしたかではなく、昨日何を考えたかということを書いてください。**〟という点。これはどういう意味なのでしょう？

この点について詳しく書かれていませんし、今の時代に即しての私の解釈ですが、要するにこれは「日記ではなく、小説を書きなさい」ということかと。

何度も述べていますが、近年特に、本（小説）はさっぱり売れないのに、作家志望者は少しも減らない、もしくは増えているように思えます。

その要因のひとつは、明らかにネットで、誰もがＳＮＳ、ブログやツイッターで日々の出来事、どこに行ったとか、何を食べた、誰に会った、まさに「昨日何をしたか」ということをアップするようになり、パソコンやスマホで書くという行為が日常化している。

この延長で作家に、と思う人が増え、実際ネットから作家になったという人もいます。ただネットならば、読んでくれるのは知り合いとかで、あなたの報告にイイネ！を押してくれる。でもほとんどは、ただの日記なり報告、発言に過ぎません。これに「何を考えたか」ということまで踏み込めると、もうひとつ上の段階、例えばエッセイ（随筆）を書くことにステップアップするはず。

Lesson50　ブログとエッセイの違いはどこにある？

エッセイと小説の違いについて述べておきます。

昨日の出来事を書くだけなら、それは日記、もしくは記録です。そこから何を考えたか、まで書くことで、日記はエッセイ（昔の言い方ならば随筆）になります。

学校の国語の授業で「日記文学」というのを習いましたね。紀貫之の『土佐日記』とか、『蜻蛉日記』『和泉式部日記』『更級日記』など、さらに日付とかのない随筆ならば、清少納言の『枕草子』や鴨長明『方丈記』、吉田兼好の『徒然草』など。ちなみにこれが旅の見聞記になると「紀行文学」となります。

本来日記は、外に出さないことを前提として書かれるものですが、それはあくまでも建て前で、多くは自分以外の他人に読まれることを意識していたりします。古典として残っている日記文学も、読まれることが前提で書かれたものでしょう。

さらにエッセイとなると、自分の体験や思いを綴りながら、読者を想定した上で書かれます。

小説はさっぱり売れないのに、書きたいという志望者は増えているのですが、その一要因はネットが生活の一部となり、書くことの垣根が低くなった。ブログなどでエッセイ的な文章を公開できる。さらには小説も自身のブログで発表したり、アマチュアの小説を公開できるサイトもたくさんあります。

エッセイと小説の違いについて、厳密な線引きがあるわけではなく、エッセイ風に書かれた小説もあります。

ただ、エッセイは基本的には、その書き手の実際の体験、見聞、知識などに基づいた上で、思ったこと、見識などを書くものです。

むろん、エッセイも読者の興味を得る、おもしろく読ませるためのテクニック、書き方の工夫が凝らされたり、多少の誇張を加えることもあります。けれどもエッセイでは嘘を入れないのが原則です。

これに対して小説は虚構、フィクションとして書かれるものです。その書き手の実体験を元にした（私小説のような）ものであっても、**虚構性が加わることで小説となります**。

この前提に立ち、宇野千代さんの言う5〜10枚の小説とするためには、昨日の体験だけの記録だけでなく、実体験を踏まえた上での考え、**思考性を加えること**で、人に読ませるためのエッセイとするのです。最初は。

エッセイを書くことも、もちろん文章力をつける訓練になります。エッセイを公募するコンクールもたくさんありますので、挑戦するのも励みになるでしょう。

さらにおもしろく読ませるための作為の度合いが増せば、虚構としての小説に近づけることができるということでしょう。

ところで稀にですが、シナリオを学びに来た人の中にも「エッセイストになりたい」と口にする人がいます。どうも「虚構（フィクション）」は作れそうもないので、自分の体験や感じたことを綴るエッセイなら」と思うようです。

「顔を洗って出直してきなさい」とは直接言わないのですが、心の中で呟いていたりします。あなたがブログで書くものであっても、お金がとれるエッセイとするには、知り合いだけではない、不特定多数の読者を得るだけの〝何か〟がなければ通用しません。

小説はもちろん、エッセイであっても、この境目を越えられるか否かが、すなわちアマチュアとプロの違いだったりします。短編であっても小説とするために何が必要か？

Lesson51　5枚の短編小説で、読者を得られるか？

小説レッスンとして故宇野千代さん提唱の方法、〝**たった5枚か10枚の短編小説を書く。**〟の実践方法について。**最初は、昨日何をしたかではなく、昨日何を考えたかということを書く。**

ブログの延長で「昨日何をしたか？」、あるいは「それで何を感じたか？　考えたか？」といったことを書くのは日記、もしくはエッセイです。

エッセイと小説の違いはあいまいですが、基本的には、エッセイは実際起きたこと、体験を書きます。これに対して小説はフィクションです。つまりそこに嘘、虚構性を加えて物語とする。

小説も〝私は〟といった一人称で、作者自身の体験や日常を綴る（あるいは読者にそう思わせる）私小説的なジャンルもありますが、それはひとまず目指す方向とは別ということで除外します。

ここで追求するのは、**「フィクションとしての小説を書く」**ということ。

ともあれこの考え方は、これまで述べてきた「シナリオ技法を活かす」ともつながります。

シナリオ・センターでは基礎講座を終えると、ゼミや通信で20枚シナリオの課題をこなしていきます。そこで書くのは、作者自身の体験（それを素材、ヒントにすることはあるにしろ）ではなく、フィクションの物語です。これを映像をイメージしながらシナリオの書式で書いていく。

20枚シナリオのレッスンでは、**「小説のショートショート的なオチをつけて終わらせたり、ストーリーを優先させるような作品を（なるべく）書くな」**。

あるいは、**「できるだけいいシーンを作る」「おもしろい局面を描く」**さらには**「登場人物を魅力的、立体的に造形する」**で、**「人物（主人公）がイキイキとする場面、ト書やセリフになるように描くことを心がける」**といったことが講師から示されるかと思います。

ですので、20枚が長い作品の【起】の部分となっても構いませんし、クライマックスでもいい。ただ、それでも20枚の中で【起承転結】はありますし、シークエンスとしての終わり（区切り）をつけるようにします。

これを小説レッスンに応用するのですが、上記の原稿用紙5～10枚というのは、枚数的にはペラ（200字詰め）10～20枚に相当します。

ただ、シナリオは余白が多いですし、ト書も簡潔に人物の行動や描写だけですので、小説の文章とする場合は、もう少し書き込みが必要となるでしょう。

また小説の場合は、ショートショートも形式のひとつですし、400字詰めで5枚や10枚の短編小説としても成立しますので、この枚数で物語が完結して構いません。

むしろレッスンであっても、当初からおおよその枚数を決めた上で、その中で【起承転結】があり、読み手に何らかの余韻なり感慨、さらには感動を与えるフィクションを目指します。

そう、もうひとつシナリオレッスンと共通する重要項目こそ、この**「読み手（観客・読者）を想定する」**ことです。

ゼミでは、習作の20枚シナリオを朗読し、他受講生の感想を聞くのですが、この試練を受けることで、**「独りよがりにならない」「観客に理解してもらえるか？」「作者が書こうとしたテーマや狙いが伝わっているか？」**といった検証がリアルにできます。

シナリオは特に、総合芸術のベースになりますので、こうした客観性なり、他者の評価を獲得しなくては成立しないので、ゼミでのレッスンが効果を発揮します。小説も（たとえ私小説であっても）より多くの読者を得るべきですし、それがないと世に出ないのですから。

Lesson52　必ず「フィクションとする」の原則を前提とする

20枚シナリオのように、たった5～10枚（小説の場合は400字詰め原稿用紙で）の短編小説を書くレッスン法についての続き。

故宇野千代さん提唱の方法を元にしているのですが、日記やエッセイではなく小説とするためには、この短い枚数であっても必ずフィクションとすること。

たとえ自身の実体験を小説的に書くにしても、実話から材を得るにしても、ブログとかの報告ではなく、小説とするためにこの**「フィクションとする」が、まずは前提とする必須条件**です。

ブログでの報告や日記ならば、例えば「今日は六本木に行ったついでに、展覧会を覗いたら、すごい人で嫌になったけど、並んだ甲斐があって……」というのでいいのですが、小説とするには、いろいろと作為が必要になりますね。

シナリオの基礎講座の課題に「出会い」がありますが、この展覧会で主人公が誰かと運命的な出会いをする話を書くとします。

ブログならば、「展覧会で見知らぬ人と話すことなんてまずないけど、今日は私が気になった絵をずっと見ていたら、同じことをしている人がいて、その人が話しかけてきて……」で、フツーは終わりですね（もちろん書き手次第ですが）。

ともあれ、この何もなかった出会いをヒントにフィクションとするとして。六本木の美術館に行く人物が主人公なら（そうではなく、出会った相手のほうを主人公に据える場合もあるでしょうが）、まず名前をつけて性別や年齢を決める。シナリオは三人称が基本ですが、小説の場合は、一人称か三人称かの選択があります。

ただ、シナリオも小説もまずは主人公を定めたら（小説の人称はともかくとして）、その人物（キャラクター）を中心に物語を運ぶという基本は同じです。

長編の場合、シナリオなら群像劇であったり、小説も章ごとに視点者を変えて運んでいくといった手法もあります。

ただし、こうした複数視点は、あくまでも長編の手法として相応しく、短編では困難ですし、それでおもしろい作品とするには、書き手のよっぽどの筆力がなくては成立しません。

ましてや習作では、主人公を定めたら、その人物を中心に物語を運ぶべき。小説の場合は一人称ならば当然、三人称であっても一視点を守ります。

それも一人称で書こうとするならば、〝私〟とするか〝俺〟とかにするか？（あるいは別の呼称や、主語を省いたままで書くという手法もある）

また、三人称とするならば、姓なのか名前で通すのか？　などなど。

小説はシナリオ以上に表現方法は自由ですので、こうした書き方やアプローチ法もいろいろです。

一番自分がしっくりする書き方でいい。

まずは人称、視点者ですが、その前に決めておく、想定する、あるいはイメージしておくことも当然あります。

その小説で何を書こうとするのか（**テーマ**）？　どういう着地点（**オチ、結末**）とするか？　**ジャンル、タッチ、カラー**をどうするか？　さらに決めておくことは、どのくらいの**枚数**で書くのか？

ここのところは、書き慣れる、レッスンとして5～10枚の短編小説としていますので、まずはこの枚数で収まることを前提とした上で、**アイデアやキャラクター像**を練っていきます。

これをどのくらいまで作った上で書くのか、はその書き手次第ですし、まったくの初心者でも、手探りで構いません。何作かフィクションとして書いていくうちに、このくらいまで作っておけば、◯枚くらいで収まる、といった感覚がつかめてくるはずです。こうしたレッスンで「小説を書く」実感が確実に身についてきます。小説修業の第一歩です。

Lesson53　客観性を得るために三人称で書いてみる

どのような短編とするか？はそれぞれの書き手で当然違います。述べたようにまず心がけることは、エッセイとかブログの日記ではなく**「フィクションを作る」**という意識を忘れないこと。

フィクションとするためには、顔の見えない他者を読者として想定して、その読み手に**「理解してもらえるか？」「おもしろく読んでもらえるか？」「書きたいことが伝わるか？」「何らかの感動なり感慨、余韻が与えられるか？」**という意識が必要となります。

自己満足小説でなく、あるいはＳＮＳやブログで知り合いや固定読者のイイネ！獲得とは違って、作品として成立するか否かの線引きはここだったりします。

小説に限らずシナリオも、作者自身がどうしても人物（特に主人公）に投影されたりするのですが、（売れる）フィクションを目指すのですから、できるだけ登場人物の造形に心を砕くようにします。

私小説ならば、作者自身が主人公そのまま、という書き方もアリですが、前提としてここでは、フィクションとしてのエンタメ小説を目指していますので、しっかりと人物を作りこみます。

この**人物造形**、人物の描き方に関しては、シナリオの基礎講座などでも、「一番大事です」「ここから物語が始まります」といったことを教わるはず。これは小説も同様です。

お芝居や小説にも、人物を意図的に無人格、没個性化するものもあります。むしろそれは例外ですし、いきなり初心者がマネしても失敗します。

もうひとつ、短い小説は「私」や「僕」といった一人称が書きやすいのですが、フィクションを作るレッスンとしては、**できれば三人称で書く**ことをオススメします。どうしても一人称で書きたいという人も、人物であったり表現に、客観視ができるという自信があるならば否定はしません。

さてどういう小説を書くかは、本当にその書き手次第なのですが、あえて日常的な世界、感覚でありながらフィクションのエンタメ小説であり、かつ文学的にも優れている短編小説を教本とします。

以前も取り上げた**向田邦子**の**短編集**『**思い出トランプ**』（新潮文庫）です。

ご存じのように超がつく一流脚本家だった向田さんは、膨大な数のシナリオやエッセイを書き40歳を過ぎてから小説を書くようになり、４００字で20〜30枚程度の短編『花の名前』『犬小屋』『かわうそ』のたった三作品で、直木賞を受賞しました。

数本の長編（主に連続ドラマの小説化）もありますし、飛行機事故の急逝がなければ、大長編も書いていたかもしれません。

それは叶わぬ夢なわけですが、向田さんが残した短編小説は、作品としての完成度だけでなく、教科書としても一級品です。

新潮文庫の『思い出トランプ』の巻末に**水上勉**の「向田さんの芸」という解説が載せられています。これも教本として小説と合わせて読むと勉強になりますが、その最後に水上さんがこのように書いて締めとしています。

【サンプル㉟】

若い読者で、短編を勉強したい方があるなら、この『思い出トランプ』の一、二編を写してみられるといい。手頃の枚数だ。私のいっていることがよく理解されるはずだ。向田さんはつまり、そういう作品を残して亡くなった。

実はこの〝書き写し〟も有効な勉強法のひとつなので、本気で作家になりたいと思うならば、ぜひトライしてみましょう。

ともあれ、この本の中の短編を例として講座を進めていきますので、（本気で、ならば）手に入れて読んでから臨んでください。

第5章　実践編2

向田邦子『思い出トランプ』をテキストとする

Lesson54　決まった枚数の短編を毎月必ず書いていく

20枚シナリオを書く感覚で、短い小説を書いていくレッスン。

教材とするのは、脚本家であった向田邦子が、直木賞を受賞した短編が収録されている『思い出トランプ』です。皆さんが読んでいることを前提に、お話しますのでご了解ください。

『思い出トランプ』には13編の短編が収録されています。どの作品も**400字詰め20～25枚程度**。この短さがちょうどいいのですが、それ以外にも教材として適している理由がいくつかあります。

エッセイと小説の違いについて述べてきましたが、エッセイは基本的に書き手が実際に体験したこと、そこから得た感慨や思想を（多少の誇張や作為は加えるにしても）書きます。

これに対して小説はフィクションですから、登場人物を設定してその人物の物語を作っていきます。

〝私〟といった一人称で、書き手自身を投影させる書き方もありますし、私小説などはまさに書き手自身を主人公として、体験に基づいた物語とする場合もあります。

つまりエッセイ風に書かれた小説というのもありますし、小説のレッスンとして自身の体験を基にまず書いてみるというのも間違いではありません。

ただし、そうしたアプローチばかりだと、不特定多数の読者を獲得する小説にはならない危険性が伴います。あなたの個人的な体験の多くは、残念ながら顔も知らない読者にとっては、どーでもいい他人事に過ぎないのです。

向田さんの短編は、どこにでもいそうな一般人を主人公として、誰もが体験するような日常の出来事、一コマを描いています。ある意味エッセイ的な書き方です。

しかしエッセイではなく厳然たる小説になっていて、そこに大いに作為が加えられています。これも教材に相応しい理由のひとつ。

加えて小説としての構造（**構成の妙**）。なにより**文章表現**。分かりやすい描写や独特の映像的比喩表現など、手本にできる要素が詰まっています。

さて『思い出トランプ』に収録された13編の短編ですが、日常的な題材ながら一人称は一編もありません。**どの作品も三人称**で、13編中男性視点が8編、女性視点が5編です。主人公たちは、中年か初老の域に差し掛かったサラリーマンや主婦です。

そうした人物たちの一視点を選ぶ段階で、向田さんのフィクションを書こうとする意識を感じます。

で、この短編集は最後のページに、〝**小説新潮五十五年二月号から五十六年二月号にかけて掲載した十三篇を収めました。上梓にあたり順番は題名に因んで十三枚のカードをシャッフルしてあります。「綿ごみ」は「耳」と改題しました。著者**〟とあります。

つまり向田さんは、『思い出トランプ』という表題に合わせて、トランプカードのように20枚強の短編を綴っていったわけです。

このスタイルも小説レッスンに使えますね。何か大きなくくりを設定して、**決まった枚数の短編を（最低）月一で書いていく。**これなら誰でもできそうです。

ただ、月に20枚の短編一作というのは、レッスンとしては少なすぎる気もしますので、並行してシナリオの習作や、公募のエッセイ、あるいはまとまった短編を書いていくというように。

くくりは何でもいい、ご自身が目指すジャンルなり方向性、例えばミステリーを志すならば、「殺意」とか「復讐」みたいな。恋愛ものならば「告白」とか「片想い」というように。あるいはシナリオ・センター生ならば、20枚シナリオの本科や研修科の課題で、小説を書いてみるというのでもいい。

小説に限らずシナリオもですが、レッスンとして最も大切なことは「継続」だからです。

Lesson55　心温まるいい話は書かない！

向田さんは生涯独身でした。若い頃に映画雑誌の編集者（記者）といったサラリーマン経験もありますが、すぐにフリーランスで脚本やエッセイを書く仕事についていましたので、会社員や主婦の経験はほぼありません。

もちろん、ご存知のようにテレビドラマではホームドラマがメインでした。またエッセイの多くは、ご自身の体験、それも（『父の詫び状』のような）厳格な会社員だった父と家族のことで、その娘時代の体験が基になっていました。

ともあれ、ホームドラマで培われた、ごくありふれた庶民の悲哀を見つめる視点、切り口というものが常にあり、それを小説にも活かしています。

ところで、小説を書きたいという（特に若い）志望者の多くは、こうした日常的な題材やテーマ、ジャンルではなく、反対側にある非日常のファンタジーや、殺人事件を解決するミステリー、さらにはキラキラした恋愛や青春物が頭にあるように思います。

そうした志望者は、向田さんの短編小説なんて「関係ないし、参考にならない」と思うかもしれません。

その考え方は間違っています。ファンタジーを志向する書き手であっても、書こうとする物語内で、生きている人物の日常なり感覚、生活といったことを、いかに本当のことのように描けるか？　つまり**リアリティの有無が物語を物語として成立させる**から。

逆の言い方をすると、皆さん自身であったり、周囲の人たち、さらには日常や生活から（それがどんなに平凡、ありきたりと見えたとしても）題材なりテーマなりを見出せない、小説のタネを見つけられないとしたら、（認められる）ファンタジーもミステリーも恋愛小説も書けません。

そうした意識でレッスン（習作）として短編を書くのです。すなわち、どこにでもいそうな人物（自分や家族、友人、知人、街を歩く人など）を（あくまでもモデルにして）主人公として造形した上で、その人物に起きる事件、他人物との関係性から起きる出来事などを書くようにします。

で、その際に（あくまでも私の提案ですが）、体験に基づいたいい話、心温まる話、小さな幸せでオチをつけてよかったね、という話は書かないようにしてほしい。

こういう言い方をすると誤解を受けそうなので、もうちょっとその狙いを述べると、そうした心温まるいい話としたいのなら、そこに至るまでの紆余曲折をしっかりと描いた上で、そうした感慨を読者に与えるようにしてください。

エッセイでしたら体験したいい話で一向に構いませんが、フィクションの小説とする場合は、造りとするための作為が不可欠だから。

『思い出トランプ』の13編を教材とする理由のひとつがここにあります。これらの短編に共通して描かれているのは、上記で述べた**「庶民の悲哀」**です。別の言い方をすると**「毒」**こそが、向田作品の秘訣です。

向田さんは冷徹な眼で、題材とする初老のサラリーマンや、中年過ぎた主婦を見つめて、そこに「毒」を盛り込んでいます。

このスパイスゆえに「悲哀」という絶妙な味が醸し出されていて、それこそが向田短編のおもしろさになっているのです。

Lesson56　なぜ、「毒」を仕込んでほしいのか？

これまで述べてきたことのポイントは、〝私〟や〝僕〟といった一人称ではなく、（向田作品の場合なら）〝宅次は〟とか、〝達子は〟〝江口は〟というような三人称で書きます。それも（これは触れていませんでしたが）、その三人称の視点を決めたら三人称一視点、つまり、それ以外の人物視点を混在させる書き方をしない。

さらに前項で述べたのは、ファンタジーなど特殊な設定、世界や人物でなく、ごくあふれた庶民の悲哀を描くようにする。で、いわゆる「いい話」、つまり書き手の体験に基づいたいい話、心温まる話、小さな幸せでオチをつけてよかったね、といった話は極力書かないようにする、ということ。

これについて補足すると、あくまでもレッスンとして書くという前提ゆえです。「いい話」や「泣ける話」というのが、小説に限らずシナリオでもここ数年来のトレンドになっていて、皆さんも盛んに書こうとする。

プロの書き手がそうしたテイストを手がけると、とても胸に染みて、じんわりと感動させる作品になったりします。それはプロは、長年培ってきたテクニックがあるので、商品として通用するものが書けるから。

残念ながら皆さんの書くこの手の作品は（全部が、ということではなく概してですが）、書き出しから結末が予想できたり、登場人物がそれこそいい人ばかりで、当たり前によかったね、となったりして、感動させてくれないから。

小説に限らず（それこそファンタジーであったとしても）、登場人物は単純、平面であってはいけません。そうした人物の深みを描くために、向田作品のように**「毒」を仕込む**ようにしてほしいのです。

述べたように、『思い出トランプ』の各短編に共通して盛られている要素こそが、「毒」で、それゆえに「人間が醸し出す悲哀」が描かれ、読者は読み終わって深い感慨に浸ることができる。

これにできるだけ近づくために、最初から「いい話」を書こうとしない、**どうすれば毒を仕込むことができるか？**と考えるのです。

第一話の『**かわうそ**』（向田短編の名作中の名作とされている）は、（原稿用紙の空白部も入れて）400詰めで、約23枚。

3年後に定年を迎える（この時代ですので57歳でしょう）、大した出世もしなかった平凡なサラリーマンの宅次という男が視点者（主人公）です。妻は9歳下の厚子で、子どもはいない夫婦だけの生活です。

書き出しの一行は、〝**指先から煙草が落ちたのは、月曜の夕方だった。**〟で、宅次は自宅の縁側に腰かけて、小さな庭を眺めていた時に、このふっとした兆候から物語が始まります。

文章的な表現の巧みさについては、いずれ述べますが、ともあれこのごく庶民である宅次が、ささいな前触れから脳卒中の発作で倒れてしまう。

これだけなら、まだ「毒」ではありません。が、この卒中の発作で、宅次は右半身に軽い麻痺が残る。それがきっかけで宅次は、**妻厚子の本質（本性）が次第に見えてくる**。それこそが仕込まれた「毒」です。

ところで、女優の白石加代子さんが、日本の小説を中心とした「怖い話」をチョイスして朗読する『百物語』という舞台があり、私もかなり追いかけて見（聴き）ました。

その演目にこの『かわうそ』もあって、小説を読んだ時以上に、（白石さんのうまさも当然あって）「なんて恐ろしい話だろう」と。

そうまさにこの短編は怪談でもあります。それは「毒」が仕込まれているゆえです。

Lesson57　シリーズとタイトルを経て内容へか？

この短編集には13編の短めの小説が収められていますが、どういう経緯で書くことになったのか、詳細は分かりません。

ただ、エンタメ系小説が掲載される「小説新潮」誌で、ほぼ一年にわたり連載され、表題が『思い出トランプ』。**〝トランプカードのように〟**一編ごとにごく普通の人物の日常に潜む魔、苦み、垣間見える悲哀といったことを描いていこう、というのがあったのだろう。

けっして誰かの成功譚だったり、逆に不思議な体験をしたり、オチでひっくり返してアッといわせる（そうした要素もなくはないが）ショートショートな作品を目指したのではないでしょう。

短編連載といった注文を受けると、作家はそうした縛り、もしくはシリーズを通すコンセプトを決めます。当然編集者さんに相談したり、了解を得たりして「それで行きましょう」となります。それがあって『思い出トランプ』というシリーズ名で落ち着くわけです。

さて、そうした条件ないし、作品のテイスト、テーマをまず決めてから、どういう話を書くか？向田さんが各話を書くプロセスがどうだったのか？　それはご本人に聞いてみるしかありません。作家の発想の方法は人それぞれで違うでしょう。

あくまでも想像ですが、本シリーズの場合、少なくともいくつかの作品はこうだったのではないか？

まずは一話目の『かわうそ』。

ホラーともいえるこの短編は、平凡なサラリーマンとして定年間近の宅次が、身体の異変を感じるところから入り、ある時、脳卒中の発作で倒れてしまう。

宅次は妻の厚子の介護を受けるようになるが、次第に見えてくるものがある。元来ポジティブな性格の厚子だが、宅次を励まし、かいがいしく世話もしてくれる。恵まれた夫婦関係と思えるが、**長年連れ添った夫婦の中に潜む魔**、毒がじわじわと見えてきて……。

このストーリーだけを書いても、「すごい」とか「怖い」となりません。どこにでもありそうな夫婦、今の言葉なら「仮面夫婦」とかの話？となります。

ですが本作のクオリティの高さは、文章表現とか展開のさせ方ももちろんですが、タイトルの〝かわうそ〟がまずあるように思います。

文章表現として向田さんは、巧みな比喩を駆使する書き手ですが、**このタイトルもまさに物語全体の比喩**になっています。

夫が病気になってイキイキしてくる厚子を見ていて、宅次がふいに気づく。

【サンプル㊱】

厚子のおろしたての白足袋が、弾むように縁側を小走りにゆくのを見ると、気がつかないうちに、おい、と呼びとめていた。

「なんじゃ」

わざと時代劇のことば使いで、ひょいとおどけて振り向いた厚子を見て、宅次は、あ、と声を立てそうになった。

なにかに似ていると思ったのは、かわうそだった。

この後でかわうそを実際に見た記憶が綴られ、小説の最後に「獺祭図」という絵について述べられ、この夫婦にあった秘密、過去の出来事が明らかになる。

おそらく、**かわうそという動物、あるいは「獺祭図」という絵が、向田さんの頭の中にあって、こ**

れが着想になったのではないか？

向田さんが書かれている〝**梅原だったか劉生だったか**〟で、両者に「獺祭図」という絵はなく、同名の絵は小絲源太郎にあるとか。描かれている内容も違います。

ともあれ、着想のどこかの段階でこの〝かわうそ〟があって、そこから物語の設定が決まったのでは？　と思うのです。

Lesson58　「向田式比喩的発想法」で着想する

まず発想の方法から向田方式を検証することで、その手法を使ってみようというわば**「向田式比喩的発想法」**。

短編集の第1作目『かわうそ』は、脳卒中の発作で妻の介護を受けるようになった初老の男が、妻の中に潜む本性、魔性に気づいてしまう物語。

その妻がかわうそに見える。その比喩（タイトルが先か、物語のテーマなり骨格があって〝かわうそ〟を思いついたのかは不明ですが）ゆえに、この小説が成立していることは間違いありません。

他の短編も同様でしょう。2作目の『**だらだら坂**』は、小さいながら会社の社長である50歳の庄治が、会社の事務員に応募してきたトミ子という女を愛人として囲い、坂の上にある中古マンションに住まわせている話。このマンションに行く道が〝だらだら坂〟で、まさに庄治という男が歩んできた人生の比喩です。ただ、「人生＝坂」というだけならば、ありきたりな比喩かもしれません。

ですがじっくり読むと、向田作品共通の「毒」が仕込まれていて、単純な比喩になっていない。

社長で愛人を囲っているという境遇ならば、通常だと恵まれている部類に入ります。しかし、少しもうらやましく思えない仕込みがされている。庄治が愛人としたトミ子の、容姿であったり生い立ちだったりを読んでください。

で、（愛人を囲う身分ながら）タクシーのメーターが気になる性分の庄治（あだ名は鼠）は、坂の下でタクシーを降りて、ゆっくりと坂を登ることに満足感を得ている。

ところがそうして得た彼のささやかな人生の優越感も、まさにだらだらと昇る（下る）坂のように、次第に憂いものになっていく。その比喩としての表題です。

こうした物語の発想法、アプローチの仕方が特別だということではないかもしれません。誰でも多かれ少なかれ、そうしたプロセスをとっている気もします。

シナリオ・センターのゼミには20枚シナリオの課題があります。例えば「雪」という課題で書くとして、雪の降る情景であったり、登場人物が雪の中を歩いていて、雪に閉ざされた街で、あるいは雪を見たことない人がいて、というように、あれこれとイメージを拡げた上で、着想となる何かを見つける。

そうした発想の方法のひとつとして、「比喩的発想法」もあるかもしれない。雪を**何かに喩えてみる**。結晶ならば、花とかダイヤモンドから、意匠としての文様。あるいは、冷たさや量となると雪害という面もあるかもしれません。

さらに比喩を拡げるために、雪にまつわる用語なり関連を探してみる。こういう時に『**歳時記**』の**「冬」を開いてみる**のです。

たくさん出てきますよ。とても全部を書き切れませんが、「大雪」「初雪」「粉雪」「吹雪」「深雪」

「雪催い」「雪気」「雪暗」「雪の花」「雪月夜」「しずり雪」「雪冠」……さらには、「雪女」「雪見酒」「除雪車」「雪だるま」「雪合戦」……。

それぞれの意味などは調べてください。ひとつあげると、**「雪催《もよ》い」**って聞いたことがないかと思いますが、**〝全天に雲が重く垂れこめ、暗くどんよりとして、いまにも雪が降り出しそうな空模様をいう〟**のだとか。知りませんでしたね。

ゼミで「雪」をすでに書いた方、ご自身の作品、発想のアプローチ法だったりプロセスを思い出してみてください。

あるいはこれから書こうという人は、向田式の比喩的発想もあります。「雪催い」というタイトルの比喩で、登場人物の人生なのか日常なのかを喩えてみる。人と違う物語の切り口が見つかるかもしれません。

Lesson59　ホラー映画の手法『大根の月』

短編小説を書くためのレッスン。向田邦子の『思い出トランプ』の諸編のアプローチ法を、**「向田式比喩的発想法」**と名付けました。

ごくありふれた庶民の男女を主人公としながら、その人物の人生の一断面を切り取って描く。これが『思い出トランプ』一編ごとの作品に共通した要素（縛り）です。

で、それぞれの作品にタイトルとつながるモチーフ的なもの、用語、すなわち**何らかの比喩を用意する**。その比喩が先にあって物語の構想なり展開を考えたのか、設定や人物を考えながらモチーフ的比喩を浮かべるのか？　それは作者に聞いてみないと分かりませんが。

ともあれ短編集の第1作目『かわうそ』は、妻の本性が動物のかわうそと重なる。2作目の『だらだら坂』は、主人公の人生なり悔恨を、愛人を住まわせているマンションのあるだらだらと登る坂が象徴しています。

もう1作、やはり白眉の名作といえる『**大根の月**』を読み解いてみます。

主人公は主婦だったけれど、夫の秀一と別れた英子。書き出しは、〝**あのことがあって、かれこれ1年になるというのに、英子は指という字が怖かった。**〟

ここで出てくる〝**あのこと**〟とは何か？　それはどうも英子が怖がる〝指〟に関わるらしい。それを直ぐに明らかにしない。

それも指という字に触れるだけで、〝**胸のまんなかあたりが締めつけられるように痛くなり、うっすらと冷汗をかいている**〟。

さらに〝**小学校一年生の姿を見るのが辛かった。**〟という一文があり、英子には夫のところに置いてきた健太という息子がいる。どうやら英子が、胸が締めつけられるように痛いことは、指と息子の健太に関わることらしい、と次第に分かってきます。

ところで私は、ホラーやサスペンス映画が大好きなのですが、観客を怖がらせる手法として、いきなりバン！　とショッキングな場面をもってきて、といった作りは実は邪道です。

そうした脅かしは一、二度くらいなら成立するのですが、真に観客を怖がらせるには、ショッキングシーンに持っていくまでのプロセスが大事です。

いきなりすごいシーンというよりも、**じわじわと「何かある」「何か起きるんじゃないか？」**と観客に感じさせる。見せるようで見せなくて、断片を思わせぶりに（と思わせない見せ方も）空気として描いていく。

この『大根の月』を読むと、向田さんがホラー映画の脚本を書いても、さぞかしと思わせます。指と息子に関しての不穏な空気が、冒頭から行間に漂っていて、奇妙な緊張感に満ちている。

ところが一転、〝**英子が別れた夫の秀一と一緒に昼の月を見たのは、結婚指輪を誂えに出掛けた帰りである。**〟という一文から、（若干ですが）温もりを感じさせる英子にとって〝**一番幸せなとき**〟であった過去のエピソードが綴られる。

〝**ビルの上にうす青い空があり、白い透き通った半月形の月が浮かんでいた。**〟という昼の月を、英子のセリフ「**あの月、大根みたいじゃない？　切り損なった薄切りの大根**」という比喩から、表題となります。

物語をおもしろくする手法に、「**緊張と緩和**」があります。要するにメリハリをつけるということですが、不穏さ緊張感を醸し出すシーンがあって、一瞬緩和としてホッとなるシーンをスパイス的に入れる。

その後で、さらに前以上に不穏、緊張に満ちた展開を積み重ねて、ついに決定的なショックシーンと運ぶ。『大根の月』では夫と見た昼間の月から、モチーフとなる薄切りの大根、さらに切り損なう包丁の逸話となり、決定的な場面へとなります。結論を読者に委ねるラストも素晴らしい。

Lesson60　向田邦子の頭の中を想像してみる

アイデアの生み出し方として、**「向田式比喩的発想法」**を解説しましたが、もう少し掘り下げて（勝手に想像して）みます。

作家が出版社や編集者から注文なり依頼を受けて、それがシリーズ連作ならば、まず大まかな縛り、シリーズ構成案を作ります。

『思い出トランプ』ならば、20枚程度の短編で、トランプのそれぞれの一枚のカードのように、人が思い出の一枚をめくる連作、でしょうか。

20枚シナリオのレッスンでも、「雪」とか「結婚式」「愛する一瞬」のように、それぞれの課題があって、そこから皆さんは「どういう話にしようか？」と考えます。発想にはこうしたとっかかりがあったほうがいいし、自由に書けるはずのプロ作家も、発想のためのヒントなりきっかけを常に探しています。

向田さんが上記のような縛りを自身に課したとして、どのように各作品の構想を得ていたのかは分かりません。最初からアイデア（ミソ）帳みたいなのがあって、例えば「子どものいない夫婦の夫が妻の恐ろしい本性を見つけてしまう」、あるいは「妻が何かの動物（かわうそ？　イタチ？　タヌキ？）に見えてしまう」とあったのか？

教材とした、ぞくりとさせながらも、女（人間）の哀惜を感じさせる『大根の月』で、「向田式比喩的発想法」を当てはめて勝手にイメージしてみますね。

ある日、（小説のヒントを探していた時なのか、それとは関係なく、とある時なのかは不明）向田さんが実際に、数寄屋橋界隈（じゃないかもしれない）を歩いていたら、ビルの向こうの空に薄い月が出ているのを見た。

スラリと黒めの洋服の向田邦子が、数寄屋橋の交差点あたりで、昼間の薄い月をぼんやり見ている姿……そんなちょっとステキなモノクロ写真が浮かびませんか。

こうした日常で、ささやかに思わぬものを見る、見つける、気づくということは誰にでもあります。でも作家とかではない普通の人は、「あ、昼間に月が出ている」と気づいたとしてもそれで終わりでしょう。

けれども（いつも**スイッチONの〝創作モード〟が機能している**）作家ならば、このネタ（イメージ）から「小説にできないか？」「どうすれば物語にできるか？」と考えます。**とっかかりの発見**ですね。

ともあれ、意外だけど確かにある昼間の半月形の月から、向田さんは「切り損なった薄切りの大根」を連想した。

向田さんの数々のドラマやエッセイには、驚嘆するほどの子ども時代の記憶、それも日常の風習が再現されています。

本作も主人公の祖母の包丁さばきの巧みさと、おせち料理の膾にする大根の千六本を刻む様が描かれます。そこから「切り損なった半月の大根」で、これは向田さん自身の記憶、イメージ、まさに思い出でしょう。

昼間の薄い月→大根の薄切り→包丁→切り損ない→指……といった連想があって、これを短い小説にしようと思う。

後は**登場人物**です。このあたりで作家としての冷徹な客観的な眼が現れて、素材を見つめる。事故で指が切り落とされるなら、誰の指なのか？　あるいは、どういう状況ならば、そんな事故が起きるだろうか？

向田さんが天国から笑っているか、怒っているかもしれませんが、こんなふうに他人の作品から想像するのも楽しいと思いませんか？

Lesson61　キャラクターが物語を牽引する

どのような発想、きっかけから小説のテーマなり想を練っていったのか？　まず、作品のモチーフになる何かを見つける。「かわうそ」だったり、「だらだら続く坂」「昼間の薄い月が大根の切れ端に見えた」といったことです。

きっかけ、モチーフ的なものからどういう話にしようかと思い、そこから何を描こうか、というテーマ的なものもだんだんと固めていく。

『かわうそ』ならば、初老の域にさしかかった夫が、妻の中にある魔性を見つけてしまう、というようような。あるいは先にテーマ的なものがあって、それを描くためにモチーフ的なものを見つけることもあるし、アイデアの尻尾みたいなものからテーマを据える。いや同時進行のこともあるでしょう。作家や作品によって違うはずです。

アイデアから作品化する上で、作者はあれこれとこねくり回すのですが、**互いに関連させながら固**

めていく三つの要素は、「テーマ」「キャラクター」「シチュエーション」だと常々述べています。

「テーマ」はいいですね。**「シチュエーション」**は設定、『かわうそ』ならば、子どものいない定年間近の夫とその妻の平凡な生活。そこに立つ波風です。この短編集は基本的に庶民、ごくありふれた家庭に起きるちょっとした出来事ですが、平凡な話にしないために、向田さんは〝毒〟を仕込んでいます。

そしてもうひとつ大事なポイントは、物語を運ぶ**「キャラクター（人物）」**。シナリオでも常に皆さんは「人物」の重要性について耳タコ状態で聞かされているはず。小説でも同じ。物語を運ぶ主人公、副主人公、脇役といった人物の設定、配置によって、運びなり方向性が決まったりします。

もちろん、テーマやシチュエーションと関連しますし、こういう話を描くために相応しいキャラクターはどんなだろう？　あるいは、こういう人物がこうした設定に放り込まれると、どうなるだろう？といった想像で物語ができてくることもあるでしょう。

『思い出トランプ』の場合は、基本としてどこにでもいそうな人物の物語とする、という条件があります。シナリオ・センター的にいうと、**「憧れ性」よりも「共通性」がより強調**されています。

その中で個性（というか欠点）がより強調されたキャラクターもあって、その代表が**『マンハッタン』**でしょう。主人公の睦夫は、女房に逃げられた無職の38歳で、母親の遺したアパートのあがりと、失業手当だけで、ぐうたらと日々を過ごしている。書き出しの〝**女房が出ていってから、睦夫はいろいろなことを覚えた。**〟から、その覚えたことのディテールの羅列は、まさに向田さんの持ち味発揮で、以前も一度、引用しました。

牛乳は冷蔵庫でも一週間でアブなくなる。秀逸なのは、その冷蔵庫の奥から緑の水の入ったビニール袋を発見したら、それは三月前に出ていった女房が入れたままの胡瓜だった。
棍棒となったフランスパンは、そのまま泥棒よけにバット代わりに置いている。ベッドではなくソファで寝て、夜明けに起きても昼近くまでうとうとする。起きて、近所の中華料理店に行って決まって固い焼きそばを食べる。

で、徹底だらしないこの中年男が、近所に開店することになったスナック「マンハッタン」に執着していく。妙に軽いようで実はブラックなテイストの小説ですが、**この物語は睦夫という、どーしようもない主人公の作り込みが一番のアイデア性になっている**気がします。そういうキャラクターをどう作者が作りこみ、突き放しているか、次項に続きます。

Lesson62　人物造型の対比で物語を運ぶ

小説に限らずシナリオでも、人物（キャラクター）の造型が作品の方向性やテーマなども決めたりします。書き手によって、あるいは作品によって違いはあるでしょうが、「こういう話を書こう」というアイデアなり設定が浮かんだとして、**どういう人物（主人公）にするか？　どういうキャラなら、この物語に相応しいだろうか？**と考えながら構想を練っていきます。

向田邦子の『思い出トランプ』の諸篇も、それぞれの物語を運ぶに適した（というか、この人ゆえにの）人物が描き込まれています。

述べたようにこの短編集の共通項は、どこにでもいそうな庶民、それも「憧れ性」よりも「共通性」が強調された人物たちの悲哀です。

ただ、「共通性」であっても読者には、自分の日常にはあってほしくない物語で、それこそが向田さんが仕込んでいる「毒」ゆえです。

少し「人物」から離れますが、皆さんが書いてくる作品で、物足りなさを感じる一番が「いい話にまとめました」的なものが多いこと。エッセイだったら、街で見た心温まるいい話とか、私が出会ったいい人との実話、でまとまるかもしれないような物語。

向田さんはエッセイも名手でしたが、小説やシナリオといったフィクションとの違いはここにある気がします。『思い出トランプ』諸篇は、人物としては身近な庶民でありながら、いわゆるエッセイ的な「いい話」は一作もありません。フィクションとしての造り、毒が仕込まれている。

ダメ男の日常を描いた秀逸な『マンハッタン』の主人公、睦夫を取り上げましたが、この人物を冷静に突き放す作者の眼を参考にしてほしい。

作者はどうしても、自分が作り出した人物に自身を反映させたり、いつしか可愛がったりしてしまう。もちろん、そうした登場人物への作者なりの感情移入はあっていいし、多少なりともなくては物語を進められないかもしれません。

その一方で、人物本位になった上で、作者として冷静に見ることができるか？　誤解しないでほしいのは、「いい話」がダメと言っているのではありません。結果いい話になったとしても、**フィクションとしての造りがあるか？　その決め手のひとつが人物造型**で、これを向田作品から学ぶのです。

さて、人物造型と人物たちの関係性ゆえに成立している好例が『**はめ殺し窓**』。主人公は出世から外された中年男の江口。五十坪の借地に建てた自宅は、今の自分のようにすっかりくたびれている。

見合いで「**なんだか牛蒡みたいなひとだねえ**」と、母のタカから馬鹿にした笑いで言われた美津子が妻。美津子との結婚を決めたのは、〝白くて大きくてしっとりしている〟タカとは正反対だったから。

父は江口に似て、貧相で身体の弱い小男だった。その父は、〝美貌の妻を自慢しながら、一生嫉妬に苦しんだ〟。さらに嫁いだ娘の律子は、そのタカの質を継いでいて、夫とうまく行かずに実家に戻ってきたらしい。実際に江口は子どもの頃の記憶として、母タカの浮気や父の嫉妬の現場に立ち会っている。

この父の容貌や体質を継いだ主人公が、奔放さを秘めていた母に対しての複雑な思い。加えて母の素質を継いでいる娘への懸念と、牛蒡のような妻にも嫉妬心を抱いてしまう小人物ぶり。

美貌の妻（主人公にとっては母）に対しての、親子である男たちの憧憬がメインテーマですが、タカの人生を象徴するモチーフこそが、表題の「はめ殺し窓」です。

ただし、この〝殺し〟という文字であったり、各人物への冷たい眼差しを据えながら、けっして怖いだけ、さらには不幸な人物たちの物語といった終わり方をさせていません。そうした【転】の造りも読み取ってください。

Lesson63　描写によって人物を描き分ける

小説は文章表現、描写で綴られます。その描写には主に「情景描写」「心理描写」「人物描写」があると述べました。

ここのところ、向田邦子の『思い出トランプ』の諸篇を教材として、小説の造り方、アプローチ法などをあれこれと考察していて、特に物語を決定する「人物」の設定、造型について述べてきました。

作者の向田さんが主人公をどう造型し、主人公が接する（ぶつかり合う）人物（夫が主人公の場合は妻や子ども、愛人など）をどのように配置しているか？

小説に限りませんが、物語の造り、方向性などは、主人公を中心に副主人公、脇役といった各人物たちの関係や配置を決めることで、大まかなカタチが見えてきます。

『はめ殺し窓』という短編で、どのように向田さんが人物を描いているか？

この小説の主題は、主人公、視点者である江口から、派手で美貌だった母と、暗的で貧相な父、母の明的要素を継いでいる江口の娘、母の明的要素とは真逆なタイプである妻、という血族の5人を対比させた作品です。

彼らが住んでいた家が象徴的に設置されているのですが、書き出しは、

【サンプル㊲】

家にも貌があり年とともに老けるものだということを、江口は知らなかった。気がついたのは、この秋の臨時異動で閑な部署に廻されてからである。

そこから長年住んだ家の細かい描写と合わせて、閑職に回された江口自身のサラリーマン時代の生い立ちが重ねられます。

こうした描写で、視点者の江口自身が晩年に差し掛かり、住んでいる家のようにくたびれていて、パッとしない男であることが伝わります。そこから気配りに欠けるようになった女房の美津子に対しての小さな怒りがあって、娘を通しての母への思いになります。

【サンプル㊲続き】

ふと二階の窓に気がついた。はめ殺しになった小さいガラス窓から、母親のタカが覗いている。一瞬そう思ったが、五年前に死んだタカである筈はなく、よそへかたづいた一人娘の律子であった。（略）似ている。ぼんやりした薄い眉も、涙ぐんでいるような目も、涙堂と呼ばれる目の下の豊かなふくらみも、小さく「あ」と言っているような唇も、すべてそっくりである。これで束髪にしたら若いときのタカに生き写しである。

娘を通しての母の描写があり、自分が継いでいる父の描写も直接的でなく、場面、逸話として語っています。

【サンプル㊲続き】

「蚤の夫婦」　中学の入学祝いに字引きを買ってもらったとき、江口はこのことばを引いた覚えがある。雄の蚤は雌より体が小さいと書いてあるのをたしかめ、やっぱり本当なんだなあと感心して、それから妙に気落ちしてしまった。両親がこう呼ばれていたのを、子供のときから耳にしていたからである。父は痩せて貧相だった。

向田さんは比喩表現の達人でした。さらに「蚤の夫婦」であった両親を表す描写として〝**荒神箒と**

米俵〟という、読者のほとんどが知らないモノを出して強調しています。それがどういうもので、どう両親を表しているのかは、本文をしっかりと読んでください。

ともあれ、江口に嫁いで来た美津子へのその母タカの「**なんだか牛蒡みたいなひとだねえ**」というセリフも、まさに絶妙な比喩表現です。

それだけでなく、江口による美しい母への憧憬と恐れという「心理描写」も、絶妙な「情景描写」と合わせて読者に伝わるように書かれています。

小説はストーリー展開のおもしろさで読ませるタイプのものもありますが、こうした**文章による描写、表現の巧みさで読者を導く小説こそが、本来の小説であること**を向田作品が教えてくれます。

Lesson64　巧みな情景描写は人物の心理を表す

小説の文章表現、「**情景描写**」「**心理描写**」「**人物描写**」について。

ただ、これらはそれぞれ分けられるということでもなく、重なっているという言い方もできます。

どういうことかというと、視点者が見ている情景なりを描写していることで、読み手は書かれているその情景をイメージします。もちろん、正確に書き手が思っている通りの情景とは限らなかったりしますが、ともかくできるだけ同じ、あるいは近くなることを書き手は望み文章化します。

で、その情景なりを見ている小説の視点者の心理であったり、そう思う人物の性格とかその人格とかを分からせたりする。例えば、

【サンプル㊳】
太郎は突風に飛ぶ一枚の木の葉の行方を見つめていた。幹に張り付いたのは一瞬で、黄色い葉はたちまち林の中に消えていった。頼りない自分自身の姿を見るようだった。

といった描写で、読み手はまず風に飛ぶ木の葉の情景をイメージし、それは視点者である太郎という人物の現在の心理でもあり、そう思う太郎の性格をも感じさせることになります。

「心理描写」というと、〝**自分はなんて頼りない男だろうと太郎は思った。**〟と書く。あるいは〝**太郎は生まれた時から気が弱かった。**〟というのが「人物描写」かと思っていませんか？　それらも心理・人物描写には違いないのですが、小説の表現としては稚拙かもしれません。

この小説表現の巧者中の巧者が向田邦子です。教材とした『はめ殺しの窓』で、視点者の江口が美しい母タカへの憧憬と恐れを表す「情景描写」と「心理描写」として、少年時代の思い出を例としました。引用してみます。

【サンプル㊴】
冬でもタカは、足がほてると言って布団から足の先を出して眠っていた。
夜中に水を飲みに台所へゆくと、翌朝の味噌汁に使う浅蜊が桶の中で鳴いていた。貝を少し開いて、あれはどこの部分なのだろう、白い管の先を覗かせているのがあった。茶色の布団からのぞいていたタカの足は、あれに似ていた。物音におどろくのか、ピュッと水を吐くのもあった。砂を吐かせるのに金気がいいのか、錆びた出刃包丁が水の中に突っ込まれていることもあった。

水の中の貝も出刃包丁も、布団から出ている母の足も、いつも江口はドキンとしながら見ていた。

布団から出ている母の足を見て江口少年はドキンとする。それだけなら少年の思うエロチシズムともとれますが、そこから夜中にひっそりと置かれた（翌朝食べるための）浅蜊の鳴き、水から口を出し水を吐く姿。それだけでなく、彼らがいる桶に刺された錆びた出刃包丁！　この生々しさと鋭利な感覚。

「情景描写」がすなわち人物の「心理描写」となっていて、そのままそう思う視点者（江口自身）の、さらに江口から見た母タカの**「人物描写」になっている**わけです。どの短編もこうした巧みな表現が駆使されています。

もう一作分析してみましょう。主人公の中年女性の心理、感覚のみで綴られていると言ってもいい名篇**『花の名前』**です。

物語のストーリー、設定としてはシンプルです。25年の結婚生活を送ってきた主婦の常子が視点者で、夫の松男との日常と歳月（それも絶妙に夫婦の性生活についても記される）が綴られるが、ある日、夫の浮気相手の女から電話がかかってきて、その女と会うはめになる。この突然の波風に揺れる常子の心理。

タイトルの「花の名前」は、〝**無神経でがさつ**〟な松男に、博識が自慢の常子が妻として教育をしたという象徴です。桜と菊と百合くらいしか花の種類を知らなかった松男に、名前を教えてやったという常子の自負でもあります。これが〝**小布団を敷かれた**〟電話で打ち砕かれます。

Lesson65　一文、一言が計算されている『花の名前』

向田邦子の『花の名前』について、構造や表現法を分析しています。

この短編は400字詰め原稿用紙、24枚前後。視点者（主人公）は専業主婦の常子。正確な年齢は書かれていませんが、夫の松男に関しては、〝**五十に手が届こうというのに、張りのある背中は水を弾いている。**〟とあり、夫婦の履歴として、〝**二十五年の歳月は、夫の背に肉をつけ、暮し向けのこまかいことも、言うだけは言うが結局常子の言いなりになっている。**〟とあります。

この後の記述で常子は、20歳そこそこで松男と結婚したとありますので、この物語時は45か46歳となります。大学生の長男と長女がいて4人家族ということも。

シナリオだとまず人物表に、「〇〇常子（45）主婦」と書き（小説ではこの家族の姓は書かれていない）、本文でも最初に登場した時に、フルネームと年齢を書きますね。

これが小説では、地の文とかセリフでそうした情報なりを、何らかの記述で分からせる必要が生じます。皆さんならどう書きますか?

誰でも書ける方法ならは、説明として書いてしまう。〝**常子は今年45歳になった。四つ年上の夫の松男と結婚して25年になる。**〟みたいな。

それがダメということではありませんが、向田さんはけっしてそんなありふれた紹介の仕方をせずに、伝えています。

さらに人物描写としての夫松男の背中の肉についての記述。これも絶妙に本作で描こうとするテーマ、世界と関連しています。この短編は、夫婦の性、夫の浮気について書かれているからです。

その微妙なテーマを描くのに例えば、**〝松男は五十になるのに、精力は衰える様子がなさそうだが、常子とはすっかりご無沙汰になっていた。〟**みたいな誰でも書ける表現をしていません。

で、夫婦の若い頃の性生活について、二人の性格の違いと共に短く記述されています。それも向田流の巧みな比喩表現が駆使されています。

些細な夫婦喧嘩をすると決まって**〝隣の寝床から手が伸びた。〟**となって、

【サンプル㊵】

闇の中で圧しひしがれながら、常子は新聞の隅に載っている角力の星取表みたいだと思った。ひとことも口をきかず、常子の左耳のところに溜めていた息を吐き、急に目方をかけてくる。自分の四股名の上に勝の白星をつけてから眠るのである。

タイトルの「花の名前」は、数学と経済学原論で育ったような無骨な松男に、常子は結婚をためらった。その松男のプロポーズの言葉が、**「結婚したら、花を習ってください。ぼくに教えてください」**で、常子はほだされて、それを生き甲斐にしてきた、という夫婦の歴史を示しています。

そんな常子のところに、夫の浮気相手だったという女から電話がかかってくる。ベルの音を緩和するために、常子があつらえて敷いた小布団の上の電話から。

それも**〝このところ電話が鳴るたびにいい知らせ〟**が来ていたのに、**「ご主人にお世話になっているものですが」**という女からの。

それだけではない。この女の名前が**「つわぶきのつわです」**と花の名前が告げられる。向田作品には常に毒が仕込まれていると述べましたが、これでもか、これでもかと主人公の常子に盛られる毒。残酷さ。

この短編の一行一行、一言一言が内容、テーマを描くために計算されていることが、じっくりと読むと分かってきます。前半にさりげなく書かれた言葉（例えばテレビの「君が代」）が後半で直結する。

なかでもこの短編の最後の一文、〝**女の物差は二十五年たっても変らないが、男の目盛りは大きくなる。**〟のすごさ。

本当に小説の記述、表現、構造を身につけたいと思う志望者ならば、本作を書き写してみることをオススメします。

第6章 実践編3

向田邦子『隣りの女』脚本から小説とする

Lesson66 シナリオと小説、同時期に書いていた『隣りの女』

向田邦子著直木賞受賞の短編集『思い出トランプ』の諸編は、400字詰め原稿用紙で、20数枚のかなり短めの短編でした。

まさにトランプカード一枚一枚のように、市井の人物の日常を（血が滴るように）切り取っていて、読者に強い読後感を残します。小説家を志す人は、まず習作として、こうした取り組み方で短編から書いてみることをお勧めします。

いきなり長編を書こうとするのはリスクが大きすぎます。ショートショートや短編ならば、取り組みやすいはず。そこで読者に何かを残せるだけのクオリティが満たせるか？　それができるようになれば、小説表現をつかんだ証になりますし、そこから腰を据えて中編、長編へと進んでも遅くないでしょう。

もちろん、向田さんのレベルに達することは、とてもとても不可能ですが、お手本、教科書として、その手法なり文章表現、フィクションを構築する姿勢などなど、大いに学べるはず。要はそれらをいかに読み取り、盗み、自らの表現として活かせるか、なのです。

「小説を書きたい」という志望者が増えていて、それはそれで構わないのですが、自己流（自己満足）だったり、小説以前、とても人に読ませるレベルに達していない人も多い。

そういう方の共通項こそが、「小説を読んでいない」です。名作や古典を読まない人は、いつまで経っても、通用しない自己流のままです。それもただ読み飛ばすのではなく、吸収するつもりで読みましょう。

さて、20数枚の短編から離れて、**もう少しボリュームのある作品へとステップアップ**したいと思います。やはり向田作品を教材とします。

本書は「シナリオ技法」を活かしながら、完成度の高い小説を書こう、というものですので、向田さんが自らの脚本作品を小説化した『**隣りの女**』を教材として取り上げます。

『隣りの女』のドラマ版は、「現代西鶴物語」というサブタイトル付きで、１９８１年5月1日、TBSでスペシャルドラマとしてオンエアされました。その年の芸術祭優秀作を受賞していますが、今

『隣の女』(上、文春文庫)とシナリオ版『源氏物語・隣の女』(下、新潮文庫)

でも名作（というか衝撃作）としても記憶され、語り継がれてます。

この脚本が掲載されている『源氏物語・隣りの女』（新潮文庫）は品切になっていますが、電子書籍で読めるようです。中古本はアマゾンとかで手に入ります。早い者勝ち。もしくは図書館などで見つけて読んでください。二時間ドラマのシナリオですので、４００字詰め１００枚前後になるでしょう。

この脚本を向田さんは、ドラマのオンエアに合わせて小説化し、週刊誌に発表しています。そしてこの年の8月22日に、台湾での航空機事故で帰らぬ人となりました。

小説のほうは文春文庫で今も発売されています。ざっと計算すると**４００字詰めで90枚前後**のようですから、長めの短編、もしくは短めの中編小説です。

ちなみに新潮文庫と文春文庫の両方で、演出家であられた浅生憲章さんが解説を書かれています。これによると同年の冬に、ロケ地になったニューヨークに、向田さんとシナリオハンティングに（さらに3月から4月にかけて撮影にも）行かれています。

すると、２週間かかったというドラマの撮影より前に脚本はあがっていて、シナハンから（おそらくですが）１カ月から2カ月あまりで、向田さんは二時間ドラマの脚本と合わせて、90枚の小説も書いたことになります。

この時期は他にも小説やシナリオ（『続あ・うん』）を書いていて、まさに作家として脂がのりきった頃だったといえます。

ともあれ、シナリオと小説表現の違い、向田さんがどう描き分けていたかを知る教材としても勉強になります。次項から詳しく述べますが、両作を皆さんが読んでいるという前提で分析していきますね。

Lesson67 〝ミシンを踏む女〟シナリオと小説はどう書かれているか？

向田邦子さんの亡くなる直前の作品『隣りの女』を教材としています。

本作は、２時間テレビドラマの脚本と小説が残されていて、おおよその換算ですが、脚本は４００字詰め原稿用紙１００枚前後、小説は90〜１００枚前後ではないかと思います。

同じくらいの分量に見えますが、シナリオ（脚本）は柱でシーンを指定して、簡単なト書きとセリフで書かれていて、余白が多いのですが、小説は地の文とかでそれなりに描写されますので、文章量としては小説のほうが多くなります。

この作品の場合、向田さんはほぼ同時進行で脚本と小説を書いているのですが、実際にどちらを先に仕上げたのかは不明です。

ただ、脚本を書いていた人が、同じ作品を小説化する場合は、先に全体の流れなり作りがはっきりとする脚本を仕上げて、それをベースに、細かい描写なりを文章化しつつ、新たな展開や場面などを加えて小説とする場合が多いように思います。長年脚本を書いてきた慣れもあるでしょう。

また、脚本は現実的な制作条件などで、直しを余儀なくされます。物語の骨格なりテーマといった心臓部を残して、そぎ落とした設計図要素が強まるのが脚本です。

その点小説は、そうした摺り合わせ要素は少なくなります。

脚本家がすでに書かれた小説とかを原作として脚本化する場合（脚色という）、これと逆の作業となります。

脚色の度合いはケースバイケースですが、基本は右記のように原作となる作品の心臓部のテーマや、そもそも持っているカラーなどは尊重しなくてはいけません。

さて、『隣りの女』はトップシーンがまず違います。脚本は、主人公の時沢サチ子（28）（桃井かおり）が、ゴミ袋を持って、ゴミ収集車を追いかける場面から。ここで同じく間に合わなかった、アパートの〝隣りの女〟田坂峰子（38）（浅丘ルリ子）も登場させ、二人に会話をさせています。そのやりとりで、主婦であるサチ子と、水商売の峰子の境遇の違いを分からせ、さらに峰子の部屋にきた三宅信明（30）（火野正平）や、管理人夫婦も登場させ、人物紹介をしながら峰子の生活と男関係といった事情も伝えています。

そして次のシーンが、

【サンプル㊶】

○アパート・時沢の部屋

内職のミシンを踏むサチ子。

同じ柄のブラウスが何枚も。段ボールの箱など。

二DKのつつましい部屋。

サチ子、かなり激しくガーと踏む。

踏みながら、うしろの壁を気にしている。

となって壁の向こう、隣の部屋から聞こえてくる峰子と三宅の痴話喧嘩の声を聞く場面。小説はこの場面から書かれています。

【サンプル㊷】

ミシンは正直である。

機械の癖に、ミシンを掛ける女よりも率直に女の気持をしゃべってしまう。

いつもあの声が聞えてくる頃合だから、あんな声なんか聞きたくないから、いつもの倍も激しくガーと掛けなくていけないと思っているのに、ミシンはカタカタカタとお義理に声を立てている。

映像としてのシナリオは、主人公サチ子の日常を動きで見せた上で、同じシーンの中で、もう一人の重要人物峰子を登場させているのですが、小説はミシンを掛けるという場面から、それもサチ子の心理描写を赤裸々に表現するという入り方になっています。

小説の〝**機械の癖に、ミシンを掛ける女よりも率直に女の気持をしゃべってしまう。**〟など、シナリオのト書では表現できません。巧みに小説の文章に転換している。

Lesson68　場面と描写、シナリオと小説をどのように書き分けているか？

シナリオのトップシーンは、主人公、時沢サチ子（28）（桃井かおり）が、ゴミ袋を持って、ゴミ収集車を追いかける場面からで、副主人公のアパートの〝隣りの女〟田坂峰子（38）（浅丘ルリ子）

や、脇役たちも登場させるという人物紹介をアクションと生活感を見せる入り方になっています。

小説はサチ子が内職としてミシンを踏みながら、隣の部屋から聞こえてくる峰子と男の会話を、聞きたくないと思いながら、聞き耳をたててしまうサチ子の心理描写から入っています。それも、

〝ミシンは正直である。

機械の癖に、ミシンを掛ける女よりも率直に女の気持をしゃべってしまう。〟


という絶妙な一文から。で、このミシンをかけているサチ子の住むアパートの描写を短く。


【サンプル㊸】

二DKのつつましいアパートである。居間兼食堂の六畳の、ちょうどミシンを踏んでいるサチ子の背にあたる白い壁に、泰西名画がかかっている。勿論複製である。声はいつもそのうしろから聞えてくる。

いきなり激しい音した。ガラスの器かなにかを壁に叩きつける音らしい。

シナリオはト書で、

【サンプル㊹】

複製の泰西名画がかかった白い壁。

向う側から、ガラスの器かなにかを壁にたたきつけたらしい、激しい音。

サチ子、ミシンのスピードを落として聞き耳を立てる。（声ははっきり聞きとれたり、聞きとれなかったりする）

三宅（声）「ふざけんじゃねえよ！」

峰子（声）「やめなさいよ！」

というように、人物指定でセリフが書かれていて、交互にやりとりとして書かれています。

小説は。ミシンを踏むサチ子の背の壁の向こうから聞こえる男女の声に聞き耳を立てる地の文による描写から、こう書かれています。


【サンプル㊺】

いきなり激しい音がした。ガラスの器かなにかを壁に叩きつける音らしい。男と女の争う声がそれを追って聞えた。サチ子のミシンは、ひとりでにゆるやかになっている。

「ふざけるなよ」

「シオドキってのはどういう意味だ」

「誰なんだよ」

「ぶっ殺してやる」

これは男の声である。

「乱暴するんなら出ていってよ」

「そんな人、いないわよ」

「なにすンのよ。離して」

女の声も激してくる。

もみ合う気配がして、

「ガラス、あぶないでしょ」

女の声が甘える調子になってゆく。

サチ子はミシンを離れ、壁ぎわに近づいて耳をすませた。


で、少し甘えに入るセリフを書いて、**「峰子」「ノブちゃん」**と互いを呼ぶ声が聞こえて、ようやく人物の説明です。


【サンプル㊻】

峰子というのは、隣りの部屋に住むスナックのママの名前であり、ノブちゃんはこの間から通ってくる現場監督風の若い男である。太いしわがれた声は三日にあげず聞いているのですぐ判る。

二人の荒い息づかいが喘ぎになり、やがて壁はかすかに揺れはじめた。


シナリオはセリフのやりとりをしっかりと書いて、二人の喧嘩から愛し合う音への転換が書かれていますが、小説は逆に説明を的確に入れながら、サチ子視点での描写で、簡潔に書かれています。

Lesson69　向田流の画期的かつ美しい官能シーンとは

主人公の専業主婦、時沢サチ子（28）（ドラマでは桃井かおり）が、アパートの隣室に住むスナックママの〝隣りの女〟田坂峰子（38）（浅丘ルリ子）と関わるはめになる。

峰子が昼間っから引っ張りこむ男との情事の声（音）が、薄い壁を通して聞こえてくる。興味と嫌悪感の入り混じった思いで盗み聞きしているサチ子ですが、峰子が迎え入れた二人目の男、麻田数男（根津甚八）の〝声〟に恋をしてしまう。

今なら異様なまでに叩かれそうな不倫ものでもあり、それなりに生々しさもあります。ただ、ドラマ版についていたサブタイトル「現代西鶴物語」が示すように、平凡な主婦が一途に恋に突っ走る物語として、せつなさだけでなく、ある意味爽やかな読後感も残します。不倫ものといった安易なレッテルではなく、恋愛ものとして名作たる由縁でしょう。

シナリオ上での人物、事件やストーリー展開と小説はほぼ同じ。シナリオの（向田さんらしい）白眉なセリフは、小説でもそのまま使われています。

特にドラマでの名シーンとして記憶に残り、今でも語り草なのは、根津甚八さんの低い声で語られる**〝谷川岳に行くまでの上野から上越線の各駅停車の駅名〟**。小説はこう書かれています。

【サンプル㊼】

サチ子は夢うつつのなかで、また隣りの女の声を聞いた。

「谷川岳ってどこにあるんだっけ」

「群馬県の上越国境」

男の声が答えている。

「そうすると上野から上越線？」

「上野。尾久。赤羽。浦和。大宮。宮原。上尾。桶川。北本。鴻巣。吹上」

男の声は低いが響きのいい声である。ひとつひとつの駅名を、まるで詩でもよむように言ってゆく。夢ではない。声は明らかに、壁の向うから、隣りの部屋から聞こえてくる。

「行田。熊谷。籠原。深谷。岡部。本庄。神保原。神保原」

男の声がつっかえた。


繰り返しますが、ドラマ版は根津甚八という独特の魅力を（声さえも）備えていた俳優がこの男を演じていたからこそ、という面はあります。はたして、シナリオ執筆時から、根津さんを当て書きされていたのかは分かりません（たぶん、そうでしょう）。

それにしても、上野から谷川岳に至る上越線の駅名とは！

「谷川に登るときは、勿体なくて急行なんか乗れないなあ。上野から鈍行に乗って、少しずつ少しずつ、あの山に近づいてゆくんだ」

という男のセリフを聞くだけでサチ子は恋に落ちる。それも性愛を伴うリアリティ。こんなものすごいフォーリンラブのシーンがあったでしょうか⁉

サチ子は男の声を聞きながら自慰をするという衝撃シーンになりますが、これはシナリオも小説もほぼ同じです。ふざけ合う二人の声が聞こえる。男は谷川岳の美しさを語るのですが……。

【サンプル㊽】

「綺麗な山なの？」

「山はみんな綺麗だよ。どんな山だって、遠くから見るとみんな同じに見えるけど、丁寧に一歩一歩登ってゆくと、違うんだ、なだらかな裾野があって」

「くすぐったい……」

「思いがけないところに窪地がかくれている」

「くすぐったいって言ってるでしょ」

「光のあたっているところ。かげになっているところ。乾いているところ。湿ってるところ。みんな息をしているように見えるんだ」

サチ子の手が、壁に寄りかかって横ずわりになった自分のからだをそっとなでてゆく。スカートがめくれて、肢がのぞいている。窓からさし込む夕焼けが、からだに光と陰の地図をつくっていた。

危うい官能シーンながらいやらしくなく、映像的ですね。

Lesson70　甘栗からポップコーンにどうして変わったのだろう？

前項はある意味過激な官能的なラブシーンとセリフ、それを盗み聞きする主人公の専業主婦、時沢サチ子（28・桃井かおり）が、〝隣りの女〟田坂峰子（38・浅丘ルリ子）の相手の男、麻田数男（？・根津甚八）の〝声〟に恋をしてしまう、その秀逸な表現を抜粋しました。

麻田が峰子との情事の際に語る**〝谷川岳に行くまでの上野から上越線の各駅停車の駅名〟**。

「上野。尾久。赤羽。浦和。大宮。宮原。上尾。桶川。北本。鴻巣。吹上……」

にサチ子は恋をする。この後サチ子は峰子のスナックに行く用事ができて、そこで声の持ち主である麻田を見て、素性も知ります。麻田は画家に額縁を売っている画材屋のバイヤーでした。

さらに峰子と最初の男の三宅（火野正平）との無理心中未遂事件が起きて、サチ子が隣室だったゆえに気づいて助ける。その件を知らせる、という口実で麻田に会いに行き、自身の恋心を麻田に気づかれてしまいます。

この後にもうひとつ、ドラマで強烈に印象的な場面がありました。麻田はサチ子をバーに誘い、一言も言葉を交わさずに（こういう場面でこらえ性のない書き手ほど、セリフを書いてしまったりするのですが！）水割りを飲みます。

外を歩く二人のシーン、**シナリオでは、**

【サンプル㊾】

○街（夜）

　街は暗くなっている。

　サラリーマンの人たちの退《ひ》けどき。

　駅へ押寄せる人の波に向って雑踏のな

かをならんで歩くサチ子と麻田。
麻田「腹は、すいてないですか」
サチ子「――すいてます」
麻田、甘栗を買う。
歩きながら、カラをむき、いきなりサチ子の口に、乱暴なしぐさで押し込む。
サチ子、食べながら歩く。
麻田、自分も食べる。
また、むいて、サチ子の口に押し込む。
自分も食べる。
押し込む。
食べる。
サチ子、そのたびに、気持も、からだも高まってくるものがある。
またひとつ押し込まれる。

○ホテル（夕方）
ベッドで激しく抱き合う二人、そこだけ別のもののように頭の上に投げ出されていた繃帯のサチ子の手が、男の背中を抱く。

サチ子の目尻から涙が流れる。

窓に夕焼。

すごい！　ちなみにサチ子の手の繃帯は、無理心中騒ぎの折にガラスで怪我をした時のもの。この強烈な場面は小説ではこう書かれています。

【サンプル㊿】

おもてへ出ると、一度に酔いがまわった。

「腹はすいてないですか」

麻田が言った。

「すいてます」

気がついたら、朝から、まとまったものを食べていなかった。

麻田は街頭でポプコーンを買うと、いきなりサチ子の口へ押し込んだ。二人は食べながら歩いた。

麻田は、自分も食べ、またサチ子の口へ押し込む。麻田のニカワの匂いがする手が、サチ子の唇にあたった。押し込まれるたびにサチ子のなかでたかまるものがあった。また押し込まれた。

ベッドでも、麻田のしぐさは手荒かった。手荒いくせに妙にやさしさがあった。そこだけ別なもののように頭の上に投げ出していたサチ子の繃帯をした手首が、麻田の背中を抱き、爪を立てていた。
サチ子の目尻から涙が流れた。ラブホテルのカーテン越しに夕陽が見えた。

甘栗がどうしてポップコーンになったのか？　向田さんに聞いてみたかった。ドラマで見た時、桃井かおりさんの口に押し込まれるあの甘栗が、とてもエロチックに生々しく思えましたが。ともあれ、シナリオと小説の〝官能〟表現の微妙な違いです。

Lesson71　ナレーションによる心理描写と視点を確認する

向田邦子さんが書いた『隣りの女』という単発二時間ドラマの脚本と、１００枚程度の中編小説は、**どこが違うかを検証**しています。

本作のキモともいえる、主人公の主婦サチ子が、**恋に落ちるきっかけ**としての麻田の駅名を列挙するセリフ。さらには**関係を持ってしまうきっかけ**としての動作（ドラマは甘栗、小説はポップコーンを口に入れる）が、どう描かれているかを比較しました。

この後のストーリー展開は、脚本も小説もほぼ同じですが、表現の違いとしての**心理描写**について。脚本はサチ子のナレーション（サチ子〔声〕という表記）を使っています。ちなみに脚本では、ナレーションとして使われているのは、主人公のサチ子だけです。他の人物の心情は、主にセリフとして語られています。

サチ子のナレーションを引用すると、麻田とラブホテルで関係を持ち別れるのですが、サチ子は一

度きりのつもりで「――**一生の――思い出です**」と部屋から出ていきます。次のシーン、

【サンプル㊿】

○夜の街

歩くサチ子。

サチ子（声）「街が輝いてみえました。人がイキイキとみえました。足許のコンクリートが分厚い絨毯を踏むように思えました。なにか大きなものに済まないと思いながら――浮気ではない、恋をした自分に酔っていました」

ところが、麻田は情事の後で、サチ子のバッグの中からのぞく西鶴の文庫本『好色五人女』を出して一文を読み、小さな財布の中を覗きます。（小説では）〝**千円札三枚キチンと畳んで入っているのがいじらしく思えた。**〟ために、自分のポケットから三十万ほど入った封筒を出し、三枚を抜いて入れていました。

ところで小説は、冒頭から基本サチ子の三人称視点で書かれていますが、この場面では一行空きの後で、神的視点になって、麻田の行動を描写し、前記の〝**いじらしく思えた。**〟と麻田の心理描写をしています。

後半、サチ子は家出をして、麻田を追いかけてニューヨークにいってしまいます。残されたサチ子の夫の集太郎（ドラマでは林隆三）と、隣りの女である峰子との場面があるのですが、ここも神的視点で両者の心理描写が書かれています。

以前から小説の視点の据え方として、三人称ならば基本「三人称一視点」とすべきだ、と述べていますが、向田さんの本作は冒頭からサチ子の視点で書かれながら、こうした場面では微妙に「神的視点」を混ぜています。それでも違和感なく読ませているのですが。

脚本と小説表現の違いのひとつは、この視点の据え方があるのですが、両者を読み比べて、**視点がどう処理されているか**にも注目してみましょう。

ともあれシナリオの場合は「三人称多視点」ですので、シーンとして書けば、集太郎と峰子の二人の行動（ト書）とセリフで展開させればいい。

さて、帰宅したサチ子は集太郎に後ろめたさを覚えながらも、財布に麻田が入れた三万円に気づいて傷つきます。その心理を、

【サンプル52】

サチ子（声）「お金を入れたのはあの人に違いありません。私は一生に一度の恋をしたと思っていたが、あの人は私を買ったのです」

とナレーションで伝えています。

脚本、小説に限らずに物語をどう展開させるか？　小道具やディテールで繋ぐという手法ができると、上級テクニックとなるのですが、この麻田が与えた三万円がそうした使い方になっています。確認してください。

Lesson72　セリフも巧みな比喩！「女も同じ間取りよ」

向田邦子作のシナリオと小説の『隣りの女』を比較することで、両者の表現法の違いが分かってきたと思います。

シナリオでは柱の指定と簡潔なト書と人物のセリフが書かれる。これを元に演出や各スタッフの技術が集結、それぞれの役を演じる俳優によって具現化されます。

シナリオは設計図としての役割があるのですが、それ以上に人間がしっかりと描かれているか、人物のセリフでいかに心情や揺れを伝えられているか。必要不可欠なドラマ要素の有無が、作品の質を決定づけます。

小説も根本は同じですが、作者の文章表現によって読者に映像をイメージさせつつ、登場人物の動きや心理を伝える。どのように書くか、どこまで描くかは書き手によって違います。

特に向田脚本はセリフが際立っているのですが、それはそのまま小説にも活かされています。向田小説の独特の比喩表現は以前も述べましたが、この比喩はセリフにも巧みに活かされています。

主人公の主婦サチ子と、スナックママの峰子は、アパートの隣人同士です。無理心中騒ぎで、サチ子に助けられた峰子が礼を言いに来て、サチ子の部屋を見て、**「同じ間取りなのに、別のアパートみたい。やっぱり『家庭』ってのは違うわね」**と呟く。このセリフは伏線です。

そのついでに峰子は、サチ子にお金を借りようとするのですが、サチ子が渡したお札に、印としての口紅がついていて、峰子が麻田に渡した札だと分かって、サチ子と麻田が関係を持ったことがばれてしまう。

この後、サチ子はニューヨークに行った麻田を追いかけるのですが、その心理（動機づけ）について、峰子が近所の主婦に**「主婦だって乱れている」**と告げているセリフと**「主婦売春」**という言葉にこだわります。

シナリオではサチ子のナレーションで、**「内職でためた定期を解約して、――ビザをとって――航空券を買いました。結果的にですが、金を受取った主婦売春という汚名を『恋』に変えてしまわなくてはならないと思いました」**と語らせています。

小説は心理を出来事と文章で辿ります。そして、

〝**「谷川岳へのぼってきます」**

食卓にメモをのせ、成田から飛行機にのった。なにかに憑かれたようだった。〟

この後の『好色五人女』の一節も、シナリオはサチ子の読むセリフとして、小説は地の文として引用されています。

その後、サチ子と麻田のニューヨークでの日々と別れが描かれますが、アパートに残された峰子と、サチ子の夫の集太郎にもドラマが起きます。

妻の家出の理由、「谷川岳にのぼる」という意味を峰子に教えられ、二人は酔っ払ってアパートに

戻ってきます。峰子は集太郎を自分の部屋に誘う。
この場面のセリフが比喩表現となっていて秀逸です。シナリオのほうを引用すると、

【サンプル53】

集太郎、部屋を見廻す。
集太郎「おんなじ間取りだね」
峰子「そうよ。おんなじ間取りよ」
ワイシャツを脱がせ、集太郎の手を、
自分のからだに廻させる。
峰子「女も、おんなじ間取りよ」
集太郎「？」
峰子「目があって、くちびるがあって――」
誘ってゆく峰子。
峰子「胸があって――お尻があって」
集太郎、峰子をベッドに倒す。
峰子「どう？　おんなじでしょ」
集太郎、答えない。

この後で峰子の逆側からの思いのセリフも凄い（小説版から）。

【サンプル㊹】

「ミシンの音、壁の向うから、カタカタカタカタ。あれが聞えると、あたし安心だったわ。声が聞こえないから。でもわたし、だんだん口惜しくなったの。『あたしは女房なのよ。ちゃんと籍入って世間にみとめられてるのよ』そう言ってるみたいに聞えるの、『あんたは何よ。女としてはもぐりじゃないの』何人男をつくったって、サイの河原の石積みじゃないの。なんにも残らないのよ。ミシン掛けと内職のブラウス縫ってるほうは、ちゃんと家庭が残ってくのよ」

向田邦子のこうしたセリフのエッセンス！　これを学びましょう。この後の展開も見事で、集太郎はミシンの音が聞こえた気がして、峰子の誘惑を退けます。集太郎の「**これが——『結婚』ですよ**」以後も磨き抜かれています。

Lesson73　小説版を膨らませなかった理由は？

向田邦子作『隣りの女』のシナリオと小説の違いについて、そろそろまとめに入ります。

以前、向田さんがどちらを先に書いていたか？については、おそらく脚本が先で、テレビドラマの制作に入った段階で（決定稿を元に）小説化していったのだろうと述べました。分析をすると、それは間違いないと思います。

シナリオは400字詰めなら100枚前後で書かれているのですが、それを向田さんは、同じように100枚弱の小説にしている。同じ100枚でも、文章を書き込む小説のほうが分量的には若干多くなっています。

全体の流れは同じですが、むしろ小説のほうが人物などを絞り込んでいます。例えばシナリオでは、主人公のサチ子や峰子が住むアパートの管理人夫婦の出番やセリフがそれなりにありますが、小説版はほとんどチョイ役的な扱いになっています。

通常、本作くらいの内容なりエピソードの物語ならば、小説にする際に、簡単にこの倍くらいの枚数にできるように思えます。管理人夫婦だけでなく、主人公のサチ子と夫の集太郎とのなれそめだったり、それぞれの親兄弟、関係者なども書き込んでいけば分量は増えます。

あるいは水商売をしている峰子は、もっといろいろとありそうです。彼女の生い立ちや過去、恋人（？）的な二人の男とのあれこれ。無理心中を強いてくる三宅、さらにはサチ子と取り合うことになる麻田との関係性、経緯など、いくらでも興味深く作ってからめて描くことができそう。

それをあえてしなかったのは、最初から100枚程度の小説にしてほしいという注文があったのか？　あるいはその枚数を想定した上で小説化していったのか？

この点もあくまでも想像ですが、最初から後者の意識で向田さんは、小説にしていったように思います。

いくつかの理由があるのですが、ひとつは向田さんの作品の取り組み方として、エネルギーの熱量の違い。

向田さんは、「現代西鶴物語」というコンセプトで、平凡な主婦が一生に一度の燃える恋に身を焦がす物語を（長年培ってきた場である）テレビの単発ドラマとして書いた。

最高のキャストを得て、ニューヨークロケまで獲得した企画に、脚本家としてのありったけの熱をこめて完成したのが『隣りの女』というドラマ。

脚本家向田邦子の代表作は、**『阿修羅のごとく』**や**『あ・うん』**といった連続ドラマの名前が挙げられますが、**実はこの『隣りの女』も、各キャラクターそれぞれが連ドラにできるくらいの濃さを秘めています**。

けれども、この時期の向田邦子は直木賞作家という冠を得て、メインの活躍の場をむしろ小説にシフトしようとしていた。どういう経緯かは不明ですが、ドラマとした本作を小説化したものの、それはやはり二次使用なわけです。

もうひとつ考え得る理由は、向田さんはやはり短編で切れ味を発揮できる書き手だったということ。完成形のシナリオを膨らませて長くするよりも、そぎ落としたドラマ性、表現で人間の一部を切り取って見せる。このスタイルこそ、向田さんの本領発揮だった。

もちろん、突然の死がなければ、壮大な人間ドラマの大長編小説を書いたかもしれません。しかし彼女は珠玉の短編を残して消えてしまった。

ともあれ、ある意味集大成的な脚本が書かれ、そこに凝縮された人物たちのドラマがある。それを元に余計なことは加えずに、小説というスタイルに落とし込んでいったのが本作です。両者をじっくりと読んで吸い上げてください。

第7章　実践編4

小説の設計図プロットを書く

Lesson74　シナリオと小説の比較ができる最良テキスト

向田邦子さんが本書のために書いた（のではもちろんありませんが）、というよりも、脚本の作りや技法を活かしつつ、小説も書いてみたいと思っている皆さんのため、といってもいいようなシナリオ版と小説版の『隣りの女』を比較してきました。

優れたドラマとなった傑作シナリオがあって、それをもとに中編に書き直した小説なわけで、その両者の表現方法を逐一比べられる、これほど的確なテキストもめったにありません。

これは繰り返し述べていますが、脚本を書いていた人が小説を書くと、地の文がいわゆる紋切り型のト書調になったり、あるいは展開していく出来事とかをプロットの文章のように、ただ並べるだけだったりします。

シナリオ・センターでは短期講座として、「シナリオの技術で書く小説講座」を行なっているのですが、宿題として提出してもらったショートショート作品の中にも、（数としては多くはなかったのですが）そうした小説の文章になっていない方がまだまだいらっしゃいました。

また、プロット調ではなく一応小説的な文章なのだけど、何が起きているのかが場面として見えてこない、状況や事情が分からないまま進む、といういわゆる舌足らず作品も少なからずありました。

これらを解消する方法はひとつしかありません。これも何度も述べていますが、「書くためには読む」。できるだけたくさん、プロ作家の小説を読む。それもストーリーを追いかけるといった読み方よりも、どう書かれているか？　どのように表現されているのか、を（盗むつもりで）精読する。

さらに、この文章、表現はすごいとか、うまいなあ、と思った箇所があったら、パソコンで構わないので書き写しましょう（ちゃんと出典も書いておくこと）。

一見地味ですし、それなりに時間も労力もかかるのですが、実はこの学習法こそが、最も効率的で手っ取り早い文章上達法なのです。プロ作家として活躍している人は、一人残らず両立させながら量と質で読んでいます。

本気で小説家になりたいと思うのでしたら、読みましょう。今からでも間に合います。それができないという人は諦めてください。

で、それなりにシナリオを書いてきた経験があるとか、ブログなどで書いているけれど、より小説としての文章表現を身につけたいと思われるならば、この『隣りの女』の表現の違いを精読すればいろいろなことが理解できるはず。だから最良のテキストだと述べているわけです。

もうひとつ別の面からいうと、脚本家の仕事として「脚色」があります。

小説の脚色が多いのですが、内容量、エピソードなどが少ない短編を映画用や連ドラ用に、という「拡大補充型」の場合もあります。

むしろ、ある程度の長さの小説を原作としてシナリオにする、いわば「エッセンス抽出型」のほうが多いように思います。どちらが楽ということもなく、原作のよさを活かしつつ、いかにいい脚本として生まれ変わらせるか、で脚本家は全精力を注ぎます。

この逆バージョンとして、ヒットが見込める映画などのノベライズという仕事もありますが、これは稀なケースなので除外します。

で、先にシナリオを書いておいて（映像化の見込みが薄いとかで）、それを小説化するというケースはさらに稀かもしれません。ただし、これはアリですし、やりようによっては有効な方法になります。ボツになっているシナリオを小説化してみるのです。

『隣りの女』の小説化に関しては、向田邦子という実績があってゆえに成立していますが、そのアプローチ法としても、テキストとして応用できます。

Lesson75 「小説家」になるための大きなステップ

「小説を（いつか）書きたい」と、潜在的に思っている人がそれなりにいるように思います。「何か機会があれば……」とか、「自分の経験を小説に」「筆一本で生きる作家に憧れるけど、自分も……」みたいな。

美術家とか音楽家だと、ある程度の専門的かつ基礎的な知識や技術を身につけないとなれなさそうですが、何しろ文章（日本語、作文）なら、小学校時代から習っているし、日常的にも書いていたりする。その発展型的な小説とかなら、ちょっと本気になればできそうだ、というイメージがある。

ただ、あくまでも潜在的であって、実際に小説を書き始める人は、10人に一人、いいえ、１００人に一人か二人かもしれません。

ただ、いきなり小説ではなく、ブログやSNSとかで自分の日常や体験談を書く人ならば、飛躍的に増えています。そこからエッセイだったり、その人が有している専門性や趣味に特化する内容、加えて映像をプラスすることで、ブロガーやユーチューバー、さらには「作家」になれたりもする。

シナリオ・センターは脚本の書き方を教えるスクールですが、近年はこうしたメディアの拡がりもあって、さまざまな形態のクリエイター誕生に結びついたりしています。

脚本（シナリオ）もそれなりの基礎的技術や専門性が必要なので、まずはそれを身につけてもらう。ただプロの（つまり報酬が得られる）脚本家になるには、その書き手のオリジナリティと、要求（ニーズ）に応じられる対応性もいります。

さて、小説です。誰にでも書けそうですが、そんなはずはない。通用する（読者を獲得する）小説を書くには、それなりの文章力、技術、物語の構築力が必要です。

で、１００人に一人か二人の小説を書き始めた初心者が、まずぶち当たるのが、途中で止まってしまう。エンドマークまで書けないということのようです。

これは脚本も同じで、いきなりペラ２００枚のシナリオを書こうとしても、頭のシーンだけでストップしてしまったりする。

シナリオ・センターのカリキュラムは、その障壁を越えるために、まずは数枚からスタートして、ゼミとかでは短い20枚シナリオをたくさん書く。これによって書き癖をつけ、長編にも対応できるように持っていく、非常に合理的かつ実践的なレッスン法なわけです。

脚本版と小説版『隣りの女』の比較に戻ると、作者の向田邦子さんは、シナリオとして書いた

400字100枚前後（2時間のスペシャルドラマ用）を、ほぼ同じ枚数の小説にして商業誌に発表しました。小説版のほうは描写などが増えたために、文字数は多くなっていますが。

本書では小説を書くための訓練として、まずはショートショートからスタート、もう少し多い30～50枚ほどの短編小説へと発展させることを推奨していました。

さらに『隣りの女』を教科書として、シナリオから小説にしてみる。例えば、皆さんがレッスンとして書いた（ペラ）**20枚シナリオを、（400字詰め）10枚前後の小説としてみる**のです。

シナリオで立てた柱（シーン）や簡潔なト書を、小説の文章として表現する。その前に主人公の視点を定めて、一人称か三人称かという選択もあります。ただし、ショートショートとして完結させるようにはします。

これならば、小説初心者の多くが陥る「書き出し挫折」はかなり回避できます。100人に一人の書き始める人から、さらに一歩先の一篇の小説を書き上げるというステップへと昇ることができます。これはとてもとても大きな「作家（小説家）」へ近づく階段を上ったことになるはずです。

Lesson76　小説の設計図としてのプロット

「小説を書きたい」と思っている人はたくさんいるのですが、実際に書き始める人は少ない。さらに書き始めたとしても、数行、数枚とかでストップしてしまう人が多い、と述べました。

エンドマークまで書き上げたとして、その作品が小説として認められるかとなるとまた別問題です。

2020年に発表された河出書房新社主催の第57回「文藝賞」（純文学系、100～400枚）の応募総数は、同賞過去最高の２３６０編だったとか。翌58回はさらに増えて２４５９編！　受賞作が1作と（年によっては優秀作もさらに1作）ということですが、数字だけ見ていると気が遠くなります。

小説に限らずシナリオコンクールも同じですし、こうした難関を突破してようやく作家の道が拓かれる。それは皆さんもご承知と思います。

ともあれ、書き始めて完成させるのが、最低限のワンステップです。書き始めたけれど、途中で放り投げたのは（小説もシナリオも）ワンステップには入りません。

出来はともかくワンステップとするために、想定した枚数でエンドマークまで書く。その書き手の資質（向き不向き）とかでも違ってくるのですが、通常はいきなり長編を想定すると、ステップがとてつもなく高くなります。

まずはショートショート（なりの難しさはあるが）ならば、気分的には臨みやすいはずで、書き癖をつけるためにもできるだけたくさん書いてみる。ステップを上がっていると、スキルもついてきて、完成度も次第に上がるはず。

ある程度書いていると、小説の文章表現だったり、描写の過不足、リズム、カラー、タッチ、自分なりの文体みたいなものがつかめてきますので、枚数を増やして短編、中編、長編へとステップを上げていきます。

さて前項は、皆さんがレッスンとして書いた（ペラ）20枚シナリオを、（４００字詰め）10枚前後の小説とすることをオススメしました。これにより、まずはステップを上がることができる。

シナリオとして人物像やテーマ、ある程度の展開、20枚としての【起承転結】ができているのですから、それを踏まえて小説に書き直す。

その際にシナリオ通りに小説化してもいいし、構成を変えてみたり、新たな場面（展開）を加えたり、削ったりしても構いません。400字10枚の、というのはあくまでも目安です。話が膨らむならば、エピソード、枚数を増やすものアリでしょう。

そうした脚色は作者次第ですが、簡単に言うと、**20枚シナリオを小説のための「プロット」として使う**のです。

ところで小説の「プロット」ですが、**シナリオで習う構成表（ハコ書き）**に当たります。ある程度の長さのシナリオを書く前に、全体の流れを作るためにシークエンスごとの箱（ハコ）を作り、エピソードやシーンを書き込んでいく。

企画書ではこれを文章化して、**「あらすじ（ストーリー）」**にするのですが、これを**「シノプシス」**とか**「プロット」**という場合もあります。シナリオにおいての構成表については、基礎講座のノートで復習してください。

小説も考え方としてはほぼ同じですが、幾分の違いを述べると、**プロットは小説を書くための設計図**に当たります。

シナリオは映像のための設計図的な役割があるのですが、より綿密な（それこそインテリアやカーテンの色まで指定してある）設計図で、シナリオのための大まかな間取り図がハコ書きでしょうか。で、小説のプロットをどこまで作るかも同じで、作家によってはまったく作らずに筆のおもむくままに書くとか、プロットなんか作ってしまうとつまらなくなる、と断言する人もいます。これもシナリオも同じです。

また、純文学かミステリーとかでも違ってくるでしょう。ただし、エンタメ系、さらにはある程度の長さの小説を想定するならば、（初心者は特に）プロットは作るべきです。

Lesson77　プロットは物語系小説の生命線

本書は、いろいろなシナリオ的技術、手法を、小説創作にうまく活かそうというアプローチ法で書かれています。

ここのところ提唱しているのが、すでに皆さんが書き上げたシナリオをプロットとして、小説として書き直すというやり方です。

通常小説家は、こういう小説（物語）を書こうと思いついて、人物や流れ、展開や結末とかをああだこうだと考えて（構想を練る）、よし「書けそうだ」と見極めがついたら、一行目から書き始める。その作家によってスタイルが違いますし、発想や構想の段階で、どのくらいの枚数にするか？という目安もあるでしょう。

さて、右記の〝構想を練る〟ですが、すなわちこれが「小説のプロット」を作るという作業になります。これをどこまで作るか?がまさにその作家のスタイルの違いになります。

前述した通りですが、小説における「プロット」は、シナリオの場合のハコ書き（構成表）に相当します。シナリオも、ハコ書きをどこまで作るかは脚本家によって違いますし、決まりはありません。

ただ、小説の場合はこのプロット作りが結構やっかいで、この段階でガタガタだと、そもそもの骨格がなっていないわけですから、せっかく完成した建物も、欠陥住宅になってしまうでしょう。

それがある程度整った（善し悪しの判断は難しく、ここではひとまず置いておいて）シナリオをプロットとすれば、小説化へのやっかいな過程が簡略化できるわけです。

このアプローチ法はともかく、小説におけるプロットの考え方について考察しておきます。というのは、やはり**プロットをどうとらえるか、どこまで詰めるか、は小説創作、特に中編以上、長編小説を書く上で欠かせない過程**だからです。

ショートショートや2～30枚、あるいは50枚くらいの短編小説ならば、前もってのプロットを詰める必要はないかもしれません。

もちろん、50枚とかでも、書く前に作者は上記の構想はある程度決めておいたり、おおよその展開なり、結末、つまり落とし所みたいなことが頭にある、あるいはそれらがぼんやりしたものであっても、そこに向かって書き始められたりします。

短編の場合ならば特に、多くの作家は頭の中で簡単なプロットができているものです。これも人によって違いますが、最初の想定通りの小説になることもあれば、書きながらどんどん変わっていくこともあります。

短編はそうした自由さが、おもしろさになったりします。同様に中編や長編も、プロットを作らずに書く作家もいます。ただし、その場合はそれなりに経験値の高い書き手に限るように思います。

これも前述しましたが、純文学かエンタメ系小説かでも違うでしょう。例えば、ミステリー作家の**森村誠一**さんは『**小説道場**』（小学館）の中の「プロットの立て方」の中でこう述べています。

〝小説は私小説、社会小説、風俗小説、時代・歴史・伝記小説、恋愛小説、軍事小説、ミステリー、

SF、ホラーなど、ジャンルが区々分かれているが、物語系と非物語系に大別される。自己の内面を掘り下げ、身辺に題材を求める私小説においては、さしてプロット（お話の筋立て）は重要ではないが、物語系の小説ではプロットが生命になる。プロットの面白くない物語系の小説は、すでに小説ではない。〟

純文学系（非物語系）であっても、それなりにストーリー展開をする小説もあるのですが、ともあれ本書もエンタメ系小説を想定していますので、やはり小説の生命にも当たるプロットは大事です。

Lesson78 ミステリー作家の9割はプロットを作る？

短編小説とかなら、ワンアイデアで大まかな流れ（道筋、ストーリー）を頭の中で描いて、書けそうだ、となったら書き始めても何とかなります。

もちろん、これも経験で違ってきたりしますし、初めて（400字詰め）50枚以上の短編とかを書こうという人は、頭の中だけでなく、【起承転結】としてのストーリー（プロット）を文章として起こした上で、ある程度の推敲を重ねて本文に入る、という過程を経たほうがいいでしょう。

文章化することで、ぼんやりとした想定の方向性やディテールが見えてきますし、作品化された際の姿もそれなりにはっきりとするはず。

それこそが、小説を書く前にプロット化をする意味に直結します。

プロットを作ることで、散らかっていたエピソードや要素、人物像などが整理されますし、客観的に検証することで矛盾点や欠点、問題点とかも浮き彫りになるはず。

ましてや中編、長編小説となると、人物や設定、ストーリー展開が複雑化しますので、書く前にプロットを作っておくべきだと思います。特に初心者は。

で、どこまでプロットを作るか？　何度も述べていますが、これは本当に十人十色です。

日本推理作家協会編著『ミステリーの書き方』（幻冬舎文庫）に、ミステリー作家に行なった**「プロットはどの程度作りますか」**というアンケート結果が載せられています。その内訳は、

①**〝詳しく作る〟**が26％、②**〝大雑把に作る〟**が一番多く65％、③**〝全く作らない〟**が９％。

これは対象がミステリー作家ですので、大雑把と詳しく作る、が約９割ですが、純文学作家だと、作らない派が断然増えるはずです。

作家さんのコメントも記されているのですが、元々脚本家で乱歩賞作家となった故**野沢尚**さんは①で、**〝臆病だからSTORYが細部まで決まっていないと、書けない。〟**です。野沢さんはドラマの際も、綿密にプロットを作ってからシナリオ化する脚本家でしたが。

もう一人、①だという**松岡圭祐**さんのコメントが興味深い。

〝読者の脳のスクリーンに、映像をつくりだし、それを観ているような喜びを提供したいと思っている。そのために、執筆前に脚本、場合によっては画コンテまでも完成させる。自分で映像が浮かばないシチュエーションは、書くべきではないと思っている。〟

一番多い②では、東野圭吾さんのコメントが代表的。

〝**全くなにもないと不安だが、書いていくうちに変わるものだから。**〟

少ない③の代表は**大沢在昌**さん。

〝**設計図をていねいに引くと、それでもう書き終えてしまったような気になり、楽しみが失せる。また刻明な設計図があればあるほど、なぞることに意識が向いて、物語をふくらます努力とかけ離れていく。**〟

このように、いろいろなタイプの書き手がいるということで、「どこまでプロットを作るか?」という問いに関しては、明解な答えはなく、その人で見つけていくしかありません。

ただ、③と答えた大沢在昌さんですが、『**小説講座　売れる作家の全技術**』（角川書店）で、〝**私はプロットを作らない**〟と前置きしつつも、アマチュアの書き手たちに「プロットの作り方」の講義をされています。

そこでは〝**謎の扱い方**〟や〝**【起承転結】における通過点**〟といったプロット上で踏まえることを話されています。大沢さん流（おそらく書きながら）のプロットの作り方があるわけです。

というように人によって個性はあります。

Lesson79　ミステリー作家のプロット作成法

先に、日本推理作家協会編著『ミステリーの書き方』に載っている、ミステリー作家に行なった

「プロットはどの程度作りますか」というアンケートをご紹介しました。それによると〝**詳しく作る**〟と〝**大雑把に作る**〟を合わせると**約9割**を占めていました。

ミステリー小説の場合は特に、結末で謎の解答が示されたり、どんでん返しで読者の意表を突くといった構成が多くなり、そこに運ぶための綿密な計算（伏線とその回収）が必要となります。そうした流れ（辻褄）を詰めるためにも、ある程度のプロットを作る作家が多くなるわけです。

シナリオも制約のある時間内に、物語をおもしろく展開させる構成が重要になりますので、プロットをある程度組み立てる場合が多いでしょう。ただ、何度も述べてますが、どこまで作るかは小説もシナリオもその作家次第です。

さて『ミステリーの書き方』のアンケートには、**「プロットを立てる具体的な方法があれば教えてください」**というQもあります。参考になりそうな回答をいくつか引用します。

〝パソコン上で、思いつくことを付け加えてふくらませていき、ある程度のサイズになったら、章立てをする〟（**貴志祐介**）

〝最初にコアとなるテーマや着想があり、それがなるべく効果的に生かせるようなプロット作りに努める。大雑把にできたら、ディテールを固める〟（**夏樹静子**）

〝冒頭のシーンから順々に埋めていかないで、思いつくシーンをまず書き出す。あとから抜けている部分を無理矢理埋めていくと、捻ったストーリーになる〟（**新野剛志**）

〝あるトリックなりシチュエーションから考えられる限りの展開を書き出し、その中から最適と思われるものを選び出します（人物の生死、場所の選択、事件発生の順番など）〟**（芦辺拓）**

〝題材に合わせて、登場人物を考えて行き、彼らの行動パターンを考えるうちにストーリーが動き出します〟**（伊野上裕伸）**

こうしたお答え以外にも、**〝シナリオ製作でのハコ書き〟を応用**するという方もいらっしゃいます。その作家によってやり方が違いますが、どなたもそれまでの経験からだったり、いろいろと試して、自分に一番いいやり方を見つけていかれたのでしょう。

ついでに私の場合一番近いのは、夏樹静子さんの**「コアとなるテーマや着想があって、そこからアバウトなプロットを作り、ディテールを詰めていく」**のですが、その際に伊野上裕伸さんの**「題材に合わせて、主要の登場人物を作り、彼らのキャラ設定や関係性からストーリーが出来てくる」**感じでしょうか。

さらに想定する枚数をにらんで、ディテールや事件が見えてきたら、貴志祐介さんの**「章立て」**をしていきます。

もう少し詳しく、具体的にプロットの流れを書かれている**辻村真琴**さんの回答をご紹介します。

〝概略、以下の手順で行います。1、テーマと印象的なシーンを決めます。2、大まかな全体ストーリーをイメージします。3、主要な登場人物のプロフィールを作ります（取材および資料調べ）。4、全体ストーリーを起承転結の形式で詳細にイメージしてゆきます。5、このあと、必要に応じて追加取材および資料調べを行いながら、執筆に入ります〟

いかがでしょう? 辻村さんのプロット作りもかなり参考になりそうです。

ともかくここに挙げた方法として、人物像や浮かんだシーン、(あるいはミステリーなので)トリックなどが、プロット作りのポイント、起点になっていることに着目してください。

Lesson80 土屋隆夫流プロットの練り方

小説を書く前のプロット作成について、日本推理作家協会編著『ミステリーの書き方』から、ミステリー作家がアンケートで答えた具体的な方法をいくつかご紹介しました。

その作家によって違うということが分かりましたが、この〝具体的な方法〟として、実際にどのようにプロットを書いていくのか?

やはり推理作家で故人ですが、『危険な童話』や『盲目の鴉』で知られる**土屋隆夫**の『**推理小説作法**』(光文社)に「プロットを練る」という項目があります。

【サンプル㊺】

プロットは、小説の設計図である。同時に、これから説明しようとするストーリィ(物語)の指針である。プロットをおろそかにして、ロクな作品が書けるわけがない。

（略）

プロットの作り方（書き方）には、格別のきまりがあるわけではない。要するに、これから書こうとする小説の一覧表、あるいは詳細な目次を作るという気持で、自分の好みにあった方法を選べばよい。

こう前置きをした上で、土屋先生は一冊のノートに内容を書きます。

【サンプル㊻】

1．最初に、作品のテーマを書いておく。

2．事件の概略を書く。

それが殺人事件ならば、犯人、被害者、犯行の方法（手口）、場所、時期と日時、人間関係、犯行動機といったことを詳しく書く。さらに、

3．作品の中心的命題になる謎（トリック）について詳細に、

4．主要登場人物について、人間像を克明に記する。

この3は推理小説では特に重要になるとのこと。

さらに、4に関しては、各人物ごとの一覧表を作り、姓名、年齢、出生地と生育地、学歴、職業、年収、趣味、容貌、体型、個人的な特徴を書く。そして次のステップとして、

5．全体を、いくつかの章にわけ、各章ごとに、場面を設定し、登場する人物を決め、状況の変化や、人物の行動を書きとめる。最終的には、これらの各章を合計したものが、全体のプロットとなる。

土屋先生によると、最初の1～3を考えていると、頭の中にはぼんやりとしたストーリーが浮かんでいるものだが、漠然としたその内容が、いくつかの場面にふり分けると、次第に具体的なカタチになってくる。

こうして例えば、事件を伝える章、謎を強調する章、犯人は、何章の、どのあたりで登場させるか、謎を解くための手掛かりなどを、どの章にどのように記するかなどが見えてきて、設計図ができあがる。

で、さあ第一行目を書くかというと、そうではなく土屋先生は、この設計図を幾日、幾十日も見つめて過ごす。

そこから間違いがないか、もっと他に方法はないか、問題点はないか、などなど、先生流にいう〝**あら探し**〟という**推敲**をする。

こうした流れで、設計図としての綿密なプロットを作るということですが、これも純文学ではない推理小説だから、という前提があってのことです。

また、推理小説の場合はやはり、起こす事件であったり、トリックが物語全体の大きな要素となり

ますので、ここを詳細に詰めておくことが重要になります。

ただ恋愛やヒューマンドラマの小説だとしても、ポイントとしては同じでしょう。

まずは何を描くかというテーマを固めた上で、どういう設定なのかや、何らかの事件、出来事が起きる。トリックに変わる意外性、謎や秘密であったり、先の見えない展開とかを仕込む。

登場人物の造型の重要性に関しては、シナリオも小説も同様です。

そして5の章立てと、その中での具体的な記述について。別の言い方では、土屋先生流の〝**小説の一覧表、あるいは詳細な目次を作る**〟というところですが、プロットはこの章立てが決め手になります。

Lesson81　貴志祐介流の「漸化式」プロット作り

さてミステリー小説についてですが、前々項でご紹介した**貴志祐介**さんの〝**パソコン上で、思いつくことを付け加えてふくらませていき、ある程度のサイズになったら、章立てをする**〟について。

貴志さんは強烈な『黒い家』や『悪の教典』などのベストセラー作家として知られていますが、『**エンタテインメントの作り方**』（KADOKAWA）という指南書も出していらっしゃいます。

その中で「プロット」について、さまざまな角度から書かれていて参考になります。


【サンプル㊼】

本格ミステリだけは、他とは一線を画する特殊なジャンルであると、私自身も実感している。プロットの作り方からして、本格ミステリとそれ以外のジャンルでは、手順が大きく変わってくる。簡単に言えば、「この先どうなっていくのか」を考えていくのが普通の小説で、逆に「なぜこうなったのか」を考えていくのが本格ミステリなのだ。

これは前記のジャンルによるアプローチの違いですね。

ただ、本格ミステリかどうかはともかくとして、**〝プロットとはストーリーの骨組みを示した設計図のようなもの〟**と前置きして、

【サンプル㊽】

ほんの一行のアイデアが、少しずつ肉付けされて大まかなあらすじとなり、さらにディテールやストーリーの起承転結を作ることでボリュームアップする。この手法を「漸化式」と呼ぶ。(略)たとえばミステリの場合は、最低でもメイントリックは先に用意しておくべきだろうし、SFであればSF的な設定を、ホラーであれば恐怖の対象を明確にイメージしておかなければ始まらない。

で、ミステリーを書く際のプロットの**おさえるべき3つのポイント**があると。

【サンプル㊽続き】

私の場合、プロットの初期段階で重視しているのは、結末だ。最終的に物語をどう着地させるのか、明確なゴールを始めに設定しておく。結末が決まっていれば、あとは物語の冒頭の部分と、見せ

場であるクライマックスさえ固めてしまえば、物語の骨格がほぼ決定する。この三点は建築における基礎工事のようなものだ。ここさえしっかりさせておけば、途中でストーリー展開にブレが生じても、ゴールを見失わずに済む、軸はブレないのである。

ということ。つまり**〝結末〟〝冒頭〟〝クライマックス〟の3つ**をはっきりさせることが貴志さん流の**「漸化式」**でしょう。

ちなみに「漸化式」というのは数学用語で、（難しすぎてうまく説明ができないのですが）、**〝隣りあった数列の関係を表す式〟**ということですなわち、あれやこれやの数式（エピソードとかディテールとか）を繋げていく、つまりプロットとしてまとめていく作業ということでしょうか。

Lesson82　貴志祐介流の中編の章立てを分析する

貴志祐介さんは、プロットの初期段階で重要視するのは、「**結末**」です。それがはっきりしていれば物語の「**冒頭**」と、見せ場としての「**クライマックス**」が固まってくる。

この3つが物語の骨格で、途中のストーリー展開がぶれたとしても、ゴールに向かって進んでいける、ということでした。

私も脚本の構成をお教えする際に、**「通常はトップシーン、すなわち【起承転結】の【起】から考える人が多いのだが、その前に物語の核となり、テーマを訴える【転】、クライマックスが、どういう局面、展開になるかを想定した上で、一番いい入り方を考えるべきだ」**と述べます。

もっとも、貴志さんが想定しているのはミステリー小説ですから、謎解きとなる結末が重要、というジャンルとしての特徴もあります。

ともあれ純文学は別として、エンタメ系小説は、程度の差はあるとしても、ゴールである【転】や【結】はある程度は想定しておくべきでしょう。そこから全体の構成を考えていく。

さて、ポイントの骨格ができたら、シナリオでおなじみの**ハコ書きとしての章立てをするのが、プロットの中盤段階**といえるでしょう。

この章立ては想定している枚数、あるいは作家や作品によっても違ってきます。数百枚ごとに一章、二章（あるいは第一部、第二部……）と区切る人もいれば、細かく数枚、数十枚ごとに章を立てる書き手もいます。あるいは大きな章として、その章内で（一）（二）と小章（節）で分ける小説もあります。

また、各章にタイトルを付ける場合もあります。決まりはなく、その書き手の構想なりで違ってきます。

どのように組まれているのか？　貴志さんの短編連作でドラマ化もされた『**鍵のかかった部屋**』（角川文庫）を見てみます。

いわゆる密室もののシリーズで、表題作など、各話がおよそ400字詰め100枚前後の中編が4作入っています。

最後に収録されている『**密室劇場**』を例とすると、単行本で61P、小章の（1）17P、（2）17・5P、（3）13・5P、（4）13Pの4部構成です。

すなわち原稿用紙に換算すると（1）約30枚、（2）32枚、（3）24枚、（4）23枚で、全部で

１０９枚弱になっています。

ある劇団の舞台公演の最中に、密室殺人事件が起きてしまう物語。
（１）はワトソン役で、本シリーズの狂言廻しでもある弁護士の青砥純子視点で、事件に遭遇した経緯が描かれます。主人公の防犯探偵、榎本径もいます。
殺人に至るまでの劇団の芝居の展開と、容疑者となる劇団関係者の紹介などをしながら、殺人事件が発覚した（のだが役者のアドリブだと観客たちには思われてしまう）ところまで。
（２）は死体の発見とその詳細。（３）は純子の錯綜推理を挟みながら、主人公の榎本による犯人の断定、そして（４）は詳しい謎解きです。
ネタバレになってしまうので詳細は述べませんが、読んでみて確認してください。

貴志さんは、（４）の舞台公演を利用した密室のトリックを思いついて、それによる犯人発覚の結末があって、全体を【起承転結】の４つの章でプロットを考えたと推測できます。

あるいは、ハリウッド式「三幕構成」ならば、（１）が「発端・状況設定」の第一幕、（２）と（３）が「中盤・葛藤」の第二幕、（４）が「結末・解決」の第三幕と考えるとはまります。（２）から（３）への、榎本が「犯人の目星がついている」と告げるところがミッドポイントでしょうか。

貴志祐介『鍵のかかった部屋』（角川文庫）

ともあれ、この１００枚強の中編のプロットを、作者の貴志さんがどう組み立てていったのか？ **中身と章立ての配分を見る**と、おおよそが分かってきます。

Lesson83　プロットの枚数ではなく、章立てで考える

さて、**プロットを組み立てる際の目安としたいのが「章立て」**。

前項は貴志祐介さんの中編連作の一作『密室劇場』（約100枚強）が、4つの小章で構成されていることを分析しました。

貴志さんが、どのくらいプロットを立てて本作を書いたかは不明ですが、各章を25～30枚前後の4つで、くらいは想定していたのでは、と想像できます。

これを皆さんがシナリオの基礎講座で習うハコ書きに当てはめると、**全体を4つの大バコ（シークエンス）にして**、各章で起きる出来事だったり、人物の変化、ぶつかり合いを簡単な箇条書きにしていくわけです。

ハコではなく文章でプロットとする人もいます。小説の場合はこちらのほうが多いかもしれません。ちなみに私も（シナリオも小説も）ハコではなくプロット派です。

貴志祐介さんの指南書『エンタテインメントの作り方』の中では、〝**プロットは緻密に作るほどいいと考えている。**〟と述べています。

【サンプル㊾】

どれだけ緻密に結末まで決めておいても、実際にその通りにストーリーが展開することはほとんどない。必ずどこかで脱線するものだからだ。だからこそ、脱線した場合にどこに戻ればいいか、最終

的にどこにたどり着きたいのか、明確な筋道が必要となるのだとも言える。

これもシナリオのハコ書きと同じですね。最初のハコ通りのシナリオになったとしたら、おそらくつまらない型どおりの作品になる危険性が高い。**あくまでもハコやプロットは目安として作る仮の地図です。**

さて、文章によるプロットの場合、どのくらい書き込むか？

実際に貴志さんはデビュー三作目の『**天使の囀り**』では、（気負いもあったからだと書かれているが）プロットだけで原稿用紙１２０枚ほどに膨れ上がったとのこと。

上記の指南書には、そのプロットの一部が掲載されています。小説としての文章ではもちろんありませんが、「ここまで書くんだ」という緻密なプロットになっています。

ともあれ、１００枚想定の長めの短編を書くとして、どのくらいのプロットを書くか？　これに関してはその人次第です。緻密に書き込む人もいれば、大まかな流れでＯＫという人もいるでしょう。

そうしたプロットの枚数よりも、上記の「章立て」を先に考えるアプローチ法をオススメします。

つまりシークエンスで考える。

例えば、エピソードや内容によって1章を10枚（シナリオならば20枚シナリオに相当）と想定するならば、全部で10章立てとすると１００枚になります。

あるいは1章を20枚とすれば5章立てで１００枚です。

ただし、枚数より章内ごとの内容が重要になります。

Lesson84　各章の見せ場を重ねていけば長編も書ける

小説を書く前にプロットを立てる。どのくらいまで作り込むかは、人によって違うでしょう。ともあれ、おおまかな流れやテーマ的なことが見えてきたら、全体の想定枚数で章立てをします。何章くらいで組み立てるかも、決まりはありません。

ひとつの例として、1章を10枚（400字詰め原稿用紙＝シナリオならば20枚シナリオに相当）と想定するならば、全部で10章立てとすると100枚になります。あるいは1章を20枚とすれば5章立てで100枚と述べました。

この感覚で100枚がこなせると、章ごとのボリュームで長編も書けるようになるはずです。つまり1章を50枚とすると10章立てで500枚の長編にもっていけるわけです。

いいサンプルはと探していたら、拙著がこれにはまっていました。すいません、手前味噌ですが。書いたのはかなり前ですが、数年前に文庫化された『**つむじ風お駒事件帖**』（徳間時代小説文庫）という時代物の長編小説です。

江戸の享保期に実在した曲独楽師、松井源水の娘お駒（こちらは架空です）を主人公に、香具師連続殺人事件と自らの出生の秘密を探っていく物語。

全部で600枚強ですが、**全体を10章で構成**しました。最初に決めた要素として、**各章に（歌舞伎の演目みたいな）小タイトルをつけて**、それに即して内容、事件を展開していく。

きちんと憶えていないのですが、先に小タイトルがあって各章を描いていったということでもなく、この章では、おおよそこういう出来事なり事件を、と想定した上で、即したタイトルをつけて、だったと思います。

次のようですが、章のおおよその枚数も。文庫本は見開き2Pで原稿用紙3枚程に相当します。

第一章「両国《りょうごく》広小路《ひろこうじ》軽業《かるわざ》猫舞《ねこまい》」（57枚）
第二章「源水《げんすい》横丁《よこちょう》御用《ごよう》提燈《ちょうちん》」（66枚）
第三章「浅草《あさくさ》奥山《おくやま》恋《こい》模様《もよう》」（58枚）
……
第十章「倒壊《とうかい》永代橋《えいたいばし》独楽《こま》極意《ごくい》」（68枚）

というように、意図的に漢字を並べてルビを振りました。

各章がおおよそ50枚から多くても70枚ですので、全体で600枚くらいの長編になったわけです。

で、**各章は（一）（二）と小章（節）で分けて、**四～五節で構成しました。ちなみに、メインの**視点者**は主人公のお駒ですが、要所要所で父親源水の視点の節も入れて、香具師殺人事件の捜査が進行していく、という手法をとりました。

柏田道夫『つむじ風お駒事件帖』(徳間時代小説文庫)

最終章である第十章のタイトルを見ると分かるように、記録によるとこの年に大洪水があり、隅田川に架かる永代橋が流出したとありましたので、まさにこの災害のスペクタクル現場で、それまでの事件や謎の解明が行なわれる、という**クライマックスと【結】を想定**しました。

プロットを組み立てる際に心がけたのは、**各章でも【起**

承転結】があり、**どこかに何らかの見せ場を配置する**ということ。

第一章は主人公のお駒の紹介からですが、謎の男に尾行されて反撃の技を使うけれど、新たなトラブルの種が蒔かれて……。

第三章はそのタイトルのように、年頃のお駒が若い同心見習に恋心を抱いて、彼とデートをする。そこでささやかなラブシーンがあって、というように。ともあれ、お読みいただけると嬉しいです。

最初から500枚以上の長編を書こうと思うと、途方にくれてしまいます。書き慣れているプロ作家ならば、感覚としてつかめるのですが、新人はまさに未知なる数千メートルの山を仰ぎ見る心持ちでしょう。

でも一合ずつ重ねていくと思えば、山頂も見えてくるはず。その目安としてあらかじめのプラン表を用意しておく。それがプロットです。

Lesson85 長編小説は「連ドラ」として考える

小説のプロットをどう立てていくか?

短編も100枚近くの長さだと、100分くらいの映画に相当すると考えていいと思います。それなりのボリュームがあります。

映画を想定したシナリオを書こうとする際に、多くの脚本家はハコ書きやプロットを作って、各シークエンスごとに、起きる出来事、展開、見せ場などを考えた上で、それを客観的に眺めて、あれこれと推敲します。

シナリオ基礎講座の「構成」の項目で、「ハコ書き」のやり方をお話ししますが、ただハコを埋めてOKではなく、より大切なことは、**ハコを客観的に眺めて「推敲」をすること**と述べています。

小説のプロットも同じ。構想（アイデア）の段階で、バラバラで曖昧だったりする物語の流れを、文章化することで整えていく。さらによりおもしろくするためや、辻褄が合わないところはないか、などを検証する。

プロットの段階だと、違う方向性とか、新たな事件や人物、この項目を移動するなどが、メモ書きで加筆できます。シナリオ同様に、このプロットの「推敲」も、重要な（エンタメ系）小説創作の欠かせない過程なのです。

1時間の単発ドラマ（テレビ局主催のシナリオコンクールに多い）だと、短編小説の5～60枚と考えます。初心者だとそれなりに「長い」と感じるかもしれませんが、何度も応募をしている人ならば、体感としてエピソードの量とか、主要人物の造型、配置などがつかめているはず。

ですので、こうしたコンクールへの応募シナリオがあるなら、それを短編小説として書き直してみる。もちろん、落選作品でしょうから、設定やアイデアそのものからの見直しを経てですが。

また、書き手によっては映画用として書いたシナリオをもとに、500枚以上の長編小説にする作家もいます。シナリオで書かれていないエピソードを加えたり、より描写とか説明を書き込むことで、枚数はいくらでも増やせます。むろん、冗漫にならないようにすることが必要となりますが。

新たな小説とする場合も、**まずは想定枚数を念頭に簡単なプロットを作る**。このアプローチで、途中で書けなくなる、放り投げるという（一番やってはいけない）創作トラブルを、かなりの確率で回避できるはず。

もうひとつ、長編小説を書く上で前回までに述べてきたのは「章立て」です。例えば、一章を50枚とすれば。全部で10章立てならば５００枚になります。

この考え方はつまり**「連ドラ方式」**と考えてもいい。連続ドラマのスタイルもいろいろですが、メインはワンクールで「1時間×10回」です。

全体の大きな流れを作り、それぞれの回でどういう出来事が起きるのか？　初回では、主な登場人物を紹介しつつ、全体を通す事件やテーマ性であったり、こういう設定の物語ですよ、というのをおもしろく見せる。

毎回ごとに、視聴者を釘付けにするような事件なり展開があって、さらに次の回となって、最終回へと興味を繋ぐ見せ方の工夫をします。テレビドラマの現場では、企画（プロット）会議で、そうした全体像を作っていきます。

例えば（もともと原作小説の脚色ですが）大ヒットした**『半沢直樹』**シリーズを思い出してください。毎回、終盤に凄まじい対決や逆転劇があって、それが次の回に続く布石となっていて、最終回のクライマックスへとなだれ込む。視聴者をこの造りに見事に誘導して（はめて）いました。

また、連ドラには毎回でひとつの事件が処理されて、という方式もありますが、これは小説ならば、**短編連作形式**と考えればいいわけです。

ともあれ、こうした連ドラの構造を取り入れて、長編小説にする章立てのプロットを作れば方向が見えてくるはずです。

Lesson86　プロット作成時のキャラクターとテーマ

小説のプロットについて**要点**をまとめていきます。

どのくらいまでプロットを作った上で臨むかは、その書き手なりの方法を見つけていくしかありません。

ともあれ、「こういう物語を書こう」といったアイデア、設定が浮かんだとして、作品とするためにいくつかのアプローチがあります。アイデアの生み出し方も人それぞれ、ケースバイケースです。

小説家志望（特に初心者）に、レッスンを兼ねてオススメしてきたのは、400字5～10枚内のショートショートに挑戦する。これらの公募の多くは、課題が設定されています。これが発想のためのとっかかりとなります。

いきなり長編だとハードルが高くなりますので、まずはレッスンとして短いものから書く。数をこなしていると、次第に小説という表現法が分かりますし、技術としても身についてくるはず。小説の場合**「文体」**というのがありますが、これもたくさん書いていると、次第にその人なりの「文体」ができてきます。

こうしたショートショートの場合は、綿密なプロットは不要です。そうはいっても、その枚数に即した**「構成」**は必要となりますが。

つまりどういう入り方をして、どう展開させて、どういう盛り上がりなりオチをつけるか？　それを効果的に運ぶための組み立てをあれこれと考える。

さらには、誰**（主人公の設定）**の物語か？　**人称とか視点者**をどうするか？　といったことも同時に詰めていきます。

これはショートショートだと、（慣れもあるのですが）頭の中でできたりする。もちろん、メモ的に書いてみてまとめていくやり方もあります。

で、これがある程度の枚数を想定するとなると、頭の中だけでは処理できなくなる。メモ書きから、それを俯瞰で眺めて整理するための**ハコ書き**、さらには文章で**あらすじ**として書いていく**プロット**とする、という段階に進むわけです。

シナリオ・センターのゼミでは、課題にそくした20枚シナリオを書いていくのですが、「ストーリーではなくドラマを」とか「人物（キャラクター）を描くことが大切です」と言われます。

20枚シナリオのレッスンは、それで完成品を目指すということではなく、あくまでも長い作品を書くためには、人物（主人公）を魅力的かつ立体的に造型することや、その人物のドラマとして描くことが必須だから。

では小説はどうか？　基本的には同じですが、ただショートショートとかは幾分違って、その短い枚数の中で完成品を目指します。

例えば星新一さんの作品の中には、あえて人物を記号的に据えた寓話として描かれていたりする。それでも、読み手に深い読後感を与える。小説として完成されているわけです。

ですからショーショート小説ならば、そうした完成度を目指していい。ただ、小説であってもある程度の長さとなると、やはり人物であったりドラマ性みたいなことは、深く関わってきます。

繰り返しますが、短編も100枚くらいの長さだったりすると、（初心者の場合は特に）プロットをある程度作ったほうがいい。それ以上の中編、長編を想定する場合は、よりプロットの必要度が増します。

この際に**章立て**をしていくべき、というのも述べた通りです。

さて、これは「どういう話とするか?」というアイデアの段階とも関わるのですが、当然、**誰の物語とするか?　どこに着地させるか?**　といったテーマとかに繋がります。プロットを作る際には、それらがひとつの基準にもなります。

プロットの組み立てに関連して、このキャラクターやテーマについては、あまり言及していませんでしたので、次の章で述べていきます。

第8章　実践編5

キャラクターを造型し、小説世界でイキイキと動かす

Lesson87　プロット作成はキャラクターで決まる

小説もショートショートや、30～50枚程度の短編を別にして、ある程度の枚数の短編、さらに中編、長編小説を書こうとする際は、構成を立てて推敲するためにも、プロットを作るべきです、特に初心者は。

ミステリー作家の貴志祐介さんは、プロットの初期段階の基礎工事として、〝**結末**〟〝**冒頭**〟〝**クライマックス**〟をはっきりさせると述べています。

つまり【起承転結】の着地点である【結】と、最大に盛り上がるクライマックスとしての【転】をイメージした上で、物語の始まりの【起】をしっかり決める。

この考え方はシナリオも同じで、基礎講座で「構成」についてお話しする際にも、テーマを訴える【転】と、テーマを定着させる【結】が大事で、そこに持っていくために一番いい入り方の【起】とする。

ただ一番難しいのは、大部分を占める【承】だったりしますが、ともかく3つの基点が定まってい

れば、プロットを作る目安となります。

で、**プロットを作る際に先に固めておくこと**が、その作品で何を描くかという「**テーマ**」であり、物語を通す主人公と、副主人公や脇役といった「**人物**」です。

テーマはともかくとして、「人物（キャラクター）」について。

アイデアの段階では、「どういう物語にするか？」あるいは、「どんな設定とするか？」といったことから浮かぶことが多いでしょう。

もちろん、歴史上の人物とか、モデルとなる人物がいて、その「人物」の物語を描く、という場合もありますが。ともあれフィクションの多くは、設定や世界があって、そこに主人公を置いて、行動させることで物語が見えてきます。

つまりプロットは、作者が造型した人物本位で方向が決まる。したがって多くの作家は、**登場人物像をまずはっきりさせます**。

また私の例で僭越ですが、短編連作シリーズの『**猫でござる**』（双葉文庫）。

柏田道夫『猫でござる①』
(双葉文庫)

そもそも担当編集者から「猫の時代小説を」という依頼を頂戴し、一話（400字）30〜40枚で、ネットで1年間をめどに連載するという条件でした。結果的に文庫本3冊になりました。二人の主人公の短編が交互に展開する構成として、提案した**二人の造型メモ**がこちら。

【サンプル㊿】

「蚤取り屋お玉」

元くのいちのお玉は、副業で猫の蚤取り屋をやっている。「蚤取り屋でござい、猫のノミとりますぜ～」という掛け声で、武家屋敷や大店を廻っては、道具の毛皮でノミを取る。行った先々で出会った人や猫との物語が展開する。十手こそ持たないが、小遣いをくれる八丁堀同心から探索を頼まれ、下っ引まがいの仕事もしたりする。身体能力バツグンでセクハラされても撃退する。

「猫小僧成郎吉」

成郎吉は「なろうきち」と読むのだが、気の短い江戸っ子は皆、「にゃろきち」と発音する。成郎吉は愛猫のクロを連れて、夜鳴き蕎麦の屋台を担いで江戸の町を廻る。実は泥棒で、クロの性癖を使って、大店や武家屋敷に盗みに入る。クロは開いている出入り口を巧みに見つけると家の中に忍び込む。有名な鼠小僧みたいなハデな盗みはせず、主やおかみさんのへそくりや売り上げのわずかを頂戴する、いわばこそ泥だが、その呼び名は認めていない。成郎吉も行った先々で余計な事件に巻き込まれる。実は成郎吉も忍者。

さらにこの二人は同じ出身（信州戸隠村）で、成郎吉は掟を破って江戸に逃げた抜け忍で、お玉は成郎吉を探して命を奪うという命を秘めている、というシリーズ全体を通す「**動機**」と「**目的**」を設定しました。

以前、長編の構成として連ドラを想定すると述べましたが、そうした構造のキャラクターとしました。

こうした主人公の造型が決まれば、後は動かすだけになります。

Lesson88 名前からして魅力的な「火田七瀬」

小説を書く前に作者がつくる（ことが多い）**プロットとキャラクターとの関わり**について。

シナリオも同じですが、プロットや構成表（ハコ書き）は、全体の物語の流れ、展開をカタチにすると同時に、物語を通す人物（主人公を中心に副主人公、敵役、脇役たち）が、どう動いたり、考えたり、感じたり、闘ったり、成長する、変化する過程を辿るか、ということも留意しなくてはいけません。

当然、**その物語を通して、作者が何を描くのか？** すなわち作品の「**テーマ**」は物語の「核」として置かれているはず。

ともあれ、ストーリー（プロット）を動かすのは、主人公を中心とする登場人物ですから、その**主要人物像**をまずは作者がしっかりと造型することが前提になります。

どんなに波瀾万丈で二転三転する物語であっても、運ぶ人物の顔が見えなくて、魅力が感じられないならば、ただの絵空事になる。

どうしても作者はストーリー本意で考え、それに人物を当てはめてしまうのですが、そうではなく**この人物だからこう進むはずだ**、と考える。

前項は拙著『猫でござる』の主人公、「蚤取り屋お玉」と「猫小僧成郎吉」の造型メモをご紹介しました。

この二人に関しては、先に〝江戸を舞台に猫にまつわる短編連作シリーズ〟という設定が決まっていましたので、女性主人公を「猫の蚤取り業」をしているくノ一で、名前は（猫がらみで）お玉。男性主人公を「相棒猫の特技を活かし泥棒稼業」をしている元忍者、名前は（同じく猫がらみで、ニャロキチ転じて）成郎吉。

時代物らしく、女性名と猫の名前としても珍しくないお玉に対し、成郎吉という名前は、私が読んだ時代物で見た記憶はないので、それなりに変わっているかと思います。

シナリオも同じですが、登場人物の造型でまずは**「名前」**です。次に**年齢**、それから**職業**とか**身分**など。

時代物なので、成人扱いされるけどまだ若い人物たちということで、お玉は17歳、成郎吉20歳で、**職業や身分**は述べた通り。

ともあれ、主人公に相応しい名前をつけるべきですが、これが結構悩ましい。

プロの作家もそれなりに苦労しているようです。けれども、この名前と主人公像がはまって世の中に認知されればしめたもので、人気シリーズの誕生となることも。

時代物ならば、**「眠狂四郎」「銭形平次」「座頭市」「水戸黄門」「人形佐七」「木枯らし紋次郎」「緋村剣心」**……。

実在した水戸黄門様は別にして、座頭市はこういう人物がいたという子母沢寛の記述から生まれた通称名。他のヒーローたちは作家が生み出した架空の人物ですが、もう名前からしてなんと魅力的か。

現代物で講座などで例とする人物名だと、**『暗夜行路』**の**時任謙作**。**『白い巨塔』**の**財前五郎**とライバルの**里見脩二**。『**青春の門**』の**伊吹信介**。『**家族八景**』の**火田七瀬**。『**新参者**』の**加賀恭一郎**。『**あしたのジョー**』の**矢吹丈**とライバルの**力石徹**。『**あしたの一歩**』の**幕之内一歩**……。

すべてフィクションの人物たちですが、すっかり認知されています。それぞれの人物が物語で活きていて、個性を発揮し魅力的です。

この中の同じボクシングマンガの主人公、矢吹丈と幕之内一歩を比べてみてください。ボクサーとして闘い続けるヒーローですが、そのスタイルやタッチの違いを表すネーミングになっています。

中でも私が一番好きな名前は、筒井康隆先生が生んだ「火田七瀬」。極端な変名ではないけど、一度も会ったことがない姓で、名前もかっこいい。で、この七瀬は人の心が読めてしまえるテレパスゆえに、美貌だけでない陰をまとっています。なんと魅力的な人物でしょうか。

Lesson89　キャラクターの決め手は、その人物の「声」？

小説を書く前に、ある程度のプロットを作る。

慣れ、経験もあって、たくさん書いている作家ともなると、その作品で何を描くのか、核となるテーマや着地点などが（おおよそでも）定まっていると、詳しいプロットを前もって作らなくても書き進められたりします。

ただし、その領域に行くために**必須の要素**があります。それこそがすなわち**キャラクター（人物）**です。

主人公だけでなく、副主人公、敵役、重要な脇役について、魅力的かつ個性的に造型してあれば、彼らが動くことでストーリーを作っていってくれるから。

これに関して、『小説講座　売れる作家の全技術』（角川書店）で、著者の**大沢在昌**さんが、受講生の**「途中で駄作だと感じても最後まで頑張って書くべきか？」**という質問への答え。

【サンプル61】

小説がダメだという場合、ストーリーがダメか、主人公がだめか、たいていはそのどちらかで、ストーリーがダメな場合はある地点まで戻ってそこからやり直せば解決できるケースもありますが、キャラクターがダメな場合は基本的に一から書き直しということになるでしょうね。

（略）

小説を書くとき、私はほとんどストーリーは考えずに書き始めます。そのかわり、どんな主人公にするか、どんなやつを敵役にするか、どんな女性をヒロインにするか、そこはものすごく時間をかける。キャラクターが決まり、ストーリーの核となるちょっとしたアイデアさえあれば、あとは勝手に物語が動いていってくれるからです。逆にキャラクターが中途半端だと途中でストーリーを背負えなくなって、話がダメになることが多いです。

大沢さんは（経験があるからでしょうが）キャラクターができていれば、ストーリーが勝手にできていくということです。さらに、

【サンプル62】

面白い小説というのは、キャラクターとストーリーが有機的にうまくつながっている作品です。キャラだけが立っていても面白い作品にならないし、いくら波瀾万丈のストーリーでもキャラがつまらなければやはり面白くない。

ストーリーを支えるのはキャラクターです。

では、どうすれば優れたキャラクターを作れるか？


【サンプル㉒続き】

できるだけ具体像を思い浮かべてください。では、具体像とはどういうことか？　それは「雰囲気」です。


と大沢さんは述べていますが、雰囲気というのは、どういう服を着ているとか、顔の造作、髪型とかを描写することではなく、

【サンプル㉒続き】

その人物のイメージを明確に喚起させるような言葉を探すことです。人物をより具体的にイメージするために、まずは知っている人をモデルにして描いてみることをお勧めします。


これと関連しそうな手法を、『**エンタテインメントの作り方**』から、**貴志祐介**さんのキャラクター造型について引用します。

貴志さんはまずは登場人物の名前が重要で、さらに貴志さんが重要視するのは「声」だという。

【サンプル⑬】

キャラクターの名前というのは意外と重要だ。名前の決め方はセンスによるところが大きいので、何が正解というのはない。ただ、やはり主人公に関しては、現実離れしない程度に〝華〟のある名前をつけたいところである。

で、プロットの段階であっても、主要人物に関しては、

【サンプル⑬続き】

その姿をしっかりイメージできるよう、あらかじめディテールを固めておくべきだ。性別や年齢、職業、容姿の特徴、性格……など、ひとりのキャラクターを形成する要素は多々ある。

こうした要素のなかで私がひとつの基準としてるのが「声」である。

人は目を見ればある程度感情を読み取ることができるが、同様に、声や口調から分かることもたくさんある、というのが私の持論である。声を聞けば、その人が持つ教養の度合いをイメージ出来るし、言葉の選び方によって性格や生き様にまでイメージを膨らませることが可能だと思う。

小説は活字で書かれるわけですが、書き手の頭のなかで、人物の発する「声」が具体的にイメージできるようになれば、キャラクターが仕上がるのだとか。

つまりこの「声」は、その人物の**口調**だったり、**方言**や**口癖**、さらには**その人物の「セリフ」**という意味でしょう。まさに**キャラクターの具体性**はここにあるかもしれません。

Lesson90　キャラクターの描き分けはセリフに表れる

さて、プロットと登場人物像について。

以前も引用した日本推理作家協会編著『**ミステリーの書き方**』で、**柴田よしき**さんが「**登場人物に生きた個性を与えるには**」を書かれています。そこからのご紹介。

【サンプル㊹】

群像小説のように複数の登場人物をきめ細かく描き、複数の行動や考え方がまとまって全体としてひとつの物語を構成している、というような作品は、人物を描く力がよほど確かでしかも、作品のプロットががっちりと骨太で精密でなくては成功しない。（略）これから新人賞に応募しようというのであれば、まずは無理をせず、限られた登場人物をプロットの中で最大限に活用する方法で物語を構築した方が、デビューへの早道となるように思う。

これはシナリオでも同様です。例えば一時間用ドラマのコンクールシナリオならば、主人公と副主人公の二人と、重要な脇役がせいぜい一人か二人程度に絞り込むべき、と述べたりします。

書いてもいいのですが、群像劇は最も難しいジャンルだと自覚しましょう。一人の人物がしっかり魅力的、立体的に描けてようやく、手がけられると思ってほしい。

さて、人物に生きた個性を与える方法ですが、柴田さんが指摘するのは、〝**人物の服装や髪型、持ち物など外見の描写をすることではない。**〟

例えば、ベンツに乗っているから金持ち、といった表現だと常套手段になってかえって薄くなったりする。

【サンプル㊿続き】

外見の描写をあまり用いないで、語る言葉や仕草でいかにその人物を印象づけるか。その人物についての情報を読者に与えられるか。課題としては難易度が高いが、それを意識して自分に課して書くようにしてみると、人物のキャラが自然と立って来るのを感じるはずだ。

で、**このキャラが立つか否かは、〝会話、すなわち人物のセリフ〟によって表れる**とのこと。なんとなくの受け答えや、物語を先に進めるためだけの無意味な会話を人物たちにさせていないか？

このセリフに人物像が表れる、というのもシナリオと同様でしょう。

さてこれについて、同書の「ミステリー作家への質問」の「**Q登場人物に厚みをもたせるには何が大切ですか**」に、推理作家さんたちがさまざまな答えを出しています。いくつかご紹介すると、前項登場いただいた作家さんだと、

【サンプル㊅】

どんな人間でも行動には「理由」がある。その人間の「理由」を考えること。作者に都合のいい行動をとらせるためだけに登場する人物はただの「役」にすぎない。（**大沢在昌**）

その人物が、何に怒り、何を愛しているか、明確にイメージすること。（**貴志祐介**）

シンプルながら含蓄がありますね。

この解答編から、柴田さんが指摘する**人物の会話・セリフ**に近いコメントを拾うと、

【サンプル㊅続き】

・その人物らしい、話し方の設定。（**東直己**）

・セリフの一言一言。（**黒川博行**）

・現実での生活感かな。喋り方ひとつでも、その人の生活がにじみ出るものですから。（**篠田秀幸**）

・ちょっとした仕草やセリフに性格的な深みがあること。（**菅浩江**）

・しゃべらせるセリフ。（**田中光二**）

・会話のリアリティ。（**難波弘之**）

・セリフのニュアンス。（**藤原伊織**）

・登場人物の過去を匂わせるような癖や言葉づかいをさりげなく散らばせる。（**船戸与一**）

・厚みというよりはリアリティを持たせるために、会話を自然にするように心がけています。（**宮部みゆき**）

Lesson91 「頭の中でプロットを転がす」宮部みゆき流

小説のプロット作成で、登場人物、すなわちキャラクターが決め手になると述べてきました。

「キャラクターこそが重要」というのはシナリオも同じで、皆さんも耳タコ状態でしょう。

それは間違いないのですが、実際問題として小説もシナリオも、作者はいざ本文を書き始める際に、どのくらい登場人物をつかめているのか？

別の言い方をすると、本当に生きた人物として造型した上で、書き始めているのでしょうか？

もちろん書く前に、名前とか年齢、性格、それまで歩んできた生い立ち、設定と関係する現在（登場時）の職業や日常、さらには姿形としての容姿などはイメージとしてあるはずで、それがなければ、具体的なシーン、登場のさせ方もできないし、人物のセリフも書けないはず。

それはそれとして、プロットの段階ではまだ、ある程度のイメージだけで、実際に物語の日常に人物を放り込む、すなわち本文を書く段階で、はっきりと人物像が見えてくる感覚かと思います。

それで構いません。

前項の大沢在昌さんのように、プロ作家による**「人物が勝手に動き出して、物語が生まれていく」**という意見を耳にします。この意見には**「だから前もってのプロットなんて作らない」**とセットだったりします。

いわばこの**「登場人物先導型」**はすなわち上記の、あいまいイメージのキャラクターが、本文で実像となるゆえでしょう。

そうであっても、（当然ですが）作者の中である程度の人物イメージができているはず。

これと関連するかと思うのですが、前出の日本推理作家協会編著『ミステリーの書き方』で、**宮部みゆき**さんが「**プロットの作り方**」で、次のように述べています。

ちなみに、このインタビューは宮部さんの初期作品、『**魔術はささやく**』『**火車**』『**理由**』を主な例として語られています。

宮部さんは〝**原則的にプロットを作らないですから。書きながらメモしていくってことはありますが。**〟さらに〝**書きながら登場人物の一覧表とかは作るようになりましたけど……**〟と述べています。

ただやはり、メインとなるストーリー（プロット）は頭の中にかなり作り込んでいて、ずっと転がしているみたいな感じだが、それを言語化しない。

【サンプル㊻】

わたし、プロットを作らないタイプではないと思うんです、かなり作っているはずなんですよね。でもそれを言語化しない、書かない。書くと逃げていくような気がするんです。いよいよ大丈夫だってときまで、目に見える形でプロットを言語化できない。たぶん頭の中では作ってるんですよね、書きながら、ポイントだけは、箇条書きのメモなんかにしとくんですよ。でも、スタート時点ではそれさえできない。ただ、「書きはじめたら登場人物が勝手に動き出す」っていうタイプの人とは、たぶん違うんです。出来てはいるんだけど、それが言葉にならない。

プロットをあえて言語化しなくても、あれだけ綿密なミステリーが書けるのは、「天才ミヤベ君」

の頭脳ゆえとも言えそうです。ただし、これが宮部さんの個性かもしれませんが。

【サンプル㊱続き】
むしろ短編のほうがしっかりプロットを書きますね。短編は着地が見えていないと怖いですから。なんていうかな、長編は空中で余計な動作をしても、たとえばそれが人物の膨らみになるし――まぁ結果オーライですけど――書きすぎたなと思えばあとで削ればいいわけです。でも短編だとそういうわけにはいかないですから。

さらにプロット上で、最初に決めておかなくていけないものとしては、

【サンプル㊱続き】
やっぱり誰から見るかですね。その事件を誰の目で体験させるか。否定的な側から見るか、面白がっている側から見るか、事件によって傷ついた側なのか、犯人なのか。あるいは世間から見るのか。もうひとつは時系列ですね。どの時点から書くか。

このアプローチをそのまま活かした傑作が、『模倣犯』や『理由』でしょうか。さらに宮部さんはこう述べています。

【サンプル㊅続き】
ミステリーを書くときに一番気をつけているのは、謎解きに関わる人間の動機なんです。犯人の動機よりも、むしろそっちのほうが大事です。

これも「なるほど」ですが、ともあれミステリーに限らず、プロットと人物の考え方の一例かと思います。

Lesson92 物語の国の想定地図を作る、それがプロット

小説を書く前にプロットについて、あれこれと述べていたら、いささか錯綜してしまったようです。

結論としては、書き手によって違うし、どこまでプロットを作っておくかの正解はなく、作家それぞれで見つけていくしかない。

延々と述べてきたのに、それかよと思われるかもしれませんが、そもそも小説の作法に、これだという法則なり決まりはありません。

前項は、宮部みゆきさんのプロットの考え方をご紹介しましたが、皆さんがなるほどと思われたら参考にすればいい。貴志祐介さんしかり、大沢在昌さんしかりで、自分なりの方法を見つけていく。

これはシナリオでも同じ。本文を書く前に、どのくらいまでプロットやハコ書きを作っておくかは、その人次第です。

ともあれ、最初に浮かんだアイデアなり設定で、いきなり本文を書き始めて、あとは人物が動くま

まにストーリーが展開していき、というやり方は小説でもシナリオでもかなり危険です。特に新人の場合は。

そこで本文を書く（実際の道を歩く）前に、到達地点（物語の結末なり、主人公の目的）を目指すための、おおよその行き方の地図（すなわちプロット）を作っておく。

この際の地図は想定する大まかな道筋です。実際に現場に足を踏み入れたら、違う道を選択したり、途中で予想していなかった障害物があったりします。

あるいは、造型した人物（特に主人公）が「廻り道なんて嫌だ、まっすぐ行く」と主張することもあるかもしれません。

これがよく言う、プロット通りにならない、当初の地図通りに進まないケース。これでＯＫです。むしろ、最初に想定した通りに進んで、ゴールに到達しました、というほうが危ないかもしれません。それこそ頭だけで考えた、予定調和的な物語になっているかも。

実際の道筋にしても、幹線道路を行ったほうが早く到着できるかもしれませんが、思ってもみない脇道を進んだら、違う光景と出会うかもしれない。

ともかく、最初とは違う方向に行こうとしたら、もう一度地図（プロット）と見比べて、どちらがいいかを問い直す。

あるいは、「こっちに行きたい」と主張するキャラクターと話し合う、向き合って決めればいい。

ただし、一応地図作成の段階では、どこに行くのか？（つまり目的地、テーマとして据えたもの）は、ある程度でもいいので決めておく。

さらに実際に、その道を進む**人物（主人公や重要人物）の造型**、さらには（宮部みゆきさんも言っていた）それぞれの**人物の「動機」**をはっきりとさせておく。それによって**各人物の「貫通行動」**となります。

実際に道を歩き始めて、人物が脇道を選んだとして、こっちがおもしろいからと、まったく違う方向に進んでしまう。

そこからまるで想定していなかった目的地に行ってしまったのでは、当初のアイデア、設定に問題があったと見るべきでしょう。

このプロットの考え方は、**シナリオも小説も同じ**です。

またシナリオもどのくらいの尺（枚数）を想定するかで、道の行き方と距離が違ってきます。それを想定して地図（プロット）を作る。

小説も長編ならば、地図の途中途中に関所なり停留所などを想定し、それがつまり章立てになります。

Lesson93　『ドライブ・マイ・カー』の渡利みさきの描写

シナリオと小説表現の違いとして、人物描写があります。

もちろん、シナリオでも小説でも、作者が登場人物であるキャラクター、特に主人公をどう造型して描くか、という重要性は同じです。

シナリオの場合は、その人物像を行動やセリフで表現するのですが、俳優がその役を演じることで具現化されます。その人物を演じる俳優の表現力、さらには演出家のサジェストがあって、ようやく物語の人物として成立します。

つまりシナリオは、そうした可能性、あるいはイメージをかき立てる人物造型と表現が求められます。ですので、通常シナリオでは人物の着ているものや容姿とかを詳しく表現したりしません。

もちろんそうした要素が物語に必要であれば、記述します。最初に登場した時は、ダンゴ鼻で一重瞼の人物が、整形で変わっていく物語なのだというならば、その変化をト書で伝えなくてはいけません。

さて、小説は「文章による描写」ですので、読者がイメージを抱ける程度に、あるいは情報として人物を描くことが必要になります。

どのくらいまで描くかは当然、書き手によって違います。いくつか例を出して違いを見ていくことにします。まずは、かなり綿密に書かれているこちら。

【サンプル67】

家福が必要書類にサインし、請求書の詳細について説明を受けているときに、その娘がやってきた。身長は一六五センチくらいで、太ってはいないが、肩幅は広く、体格はがっしりしていた。右の首筋に大きめのオリーブくらいのサイズの楕円形の紫色のアザがあったが、彼女はそれを外にさらすことにとくに抵抗を感じていないようだった。たっぷりとした真っ黒な髪は邪魔にならないように後ろでまとめられていた。彼女はおそらくどのような見地から見ても美人とは言えなかったし、大場が言ったようにひどく素っ気ない顔をしていた。頬にはにきびのあとが少し残っていた。目は大きく、瞳がくっきりしているが、それはどことなく疑り深そうな色を浮かべていた。目が大きいぶん、その色も濃く見えた。両耳は広く大きく、まるで僻地に備えられた受信装置のように見えた。五月にしてはいささか厚すぎる、男物のヘリンボーンのジャケットを着て、茶色のコットンパンツをはき、コンバースの黒いスニーカーを履いていた。ジャケットの下は白い長袖のTシャツ、胸はかなり大きい方だ。

村上春樹『女のいない男たち』(文春文庫)

話題となった映画**『ドライブ・マイ・カー』**の原作、**村上春樹**の短編集**『女のいない男たち』**（文春文庫）収録の同名短編から。

妻を亡くした俳優の家福が、事情があって運転手を雇うことになる。その**渡利みさき**が登場するところ。この記述の前に、紹介者の大場から、20代半ばだとか、ちょいと偏屈なところがあって〝**ぶっきらぼうで、無口で、むやみに煙草を吸**

う〟と語られています。

誤解しないでほしいのですが、このように書け、という意味ではありませんよ。

ともあれ、主人公の家福が見た、女ドライバーの描写。けっして美人ではないが、独特の雰囲気をまとった女性として、まさに春樹タッチで表現されています。

映画では家福を西島秀俊、キーパーソンであるみさきを三浦透子が演じていました。三浦さんはとてもキュートで魅力的だと（私は）思うのですが、映画を見た時に、この小説の人物描写を思い出して、「よくまあ、見つけてきたな」と感心しました。そのくらい小説のイメージに合致していました。

Lesson94 『ドライブ・マイ・カー』の家福はどう書かれているか

この渡利みさき（映画では三浦透子）は重要な脇役ですが、肝心の主人公（視点者）はどのように描かれているのか？

その前に原作は、文春文庫版で約51ページ（1ページ＝400字×約1・6枚）ですので、約84枚の短編です。6篇からなる短編連作集で、通常こうした短編連作は、何らかの緩いテーマ性なりモチーフを、作者が想定して書きます。

文庫本のまえがきで書かれていますが、表題作でもある『女のいない男たち』が示すように、大切な〝女〟を失った男たちの喪失感でしょうか。

村上さんの小説は、デビュー作の『風の歌を聴け』から〝僕〟といった一人称がほとんどでしたが、近年は三人称でも書かれていて、本作は〝**家福**〟**という三人称**です。

これも以前に述べましたが、村上さんは小説を書く前に、(長編でも)全体のプロットとかを作ることはなく書き進めるとか。

さて、『ドライブ・マイ・カー』の家福ですが、三人称にすることで、一人称の〝僕〟ではなく、幾分客観的に描写されています。

冒頭からは家福の目から見た、女性ドライバー全般への(やや厳しめの)感想と評価が綴られています。そんな家福が女性ドライバーを雇うはめになる。

三人称にしている文章としては例えば、

【サンプル㊻】

だから彼が専属の運転手を捜しているという話をして、修理工場の経営者である大場が若い女性ドライバーを推薦してくれたとき、家福はそれほど楽しげな表情を顔に浮かべることができなかった。大場はそれを見て微笑した。気持ちはわかりますよ、と言わんばかりに。

といった一文で違いがわかります。

この文節の〝彼〟と〝家福〟を〝僕〟と入れ替えると、違和感が生じますね。僕ならば自分の表情は見えないのですから。

で、この家福ですが、男であることと中年くらいかな、というニュアンスだけは伝えられるのですが、フルネーム(映画では悠介という名前が与えられている)や正確な年齢、職業はすぐには書かれていません。

しばらく読むと（前回紹介した人物描写した）渡利みさきとのやりとりで、情報としても伝えられます。

【サンプル⑳】
「家福さんは俳優で、今は週に六日、舞台に出演しています。自分で車を運転してそこに行きます。地下鉄もタクシーも好きじゃない。車の中で台詞の練習をしたいから。でもこのあいだ接触事故を起こし、免許証も停止になった。お酒が少し入っていたことと、それから視力に問題があったためです」

その後、ある程度世間で知られた俳優だが、主役をはれるほどでない「性格俳優」と称される個性的な演技派で、テレビドラマの刑事物で脇役もやっている。

さらに2歳年下のこちらは主役級の女優の妻（小説では絶妙に名前が記載されない）がいたのだが、病気で亡くした。妻と出会ったのは29歳の時で、亡くしたのは家福が49歳の時だった。

そして、本作の最も重要な要素こそが、亡くなった妻は、習慣的に共演相手の俳優たちと寝ていたという事実。

夫婦として愛し合いながら、死んだ妻はどうしてそのような〝裏切り〟をしていたのか？　家福は喪失感を抱きながら、その一人であった俳優の高槻と関わるようになります。

Lesson95　『ドライブ・マイ・カー』のもう一人の人物描写

小説で人物をどう造型して描写するか？　映画化で話題となった村上春樹の（長めの）短編『ドライブ・マイ・カー』を教材としています。

三人称による主人公（視点者）は、50歳過ぎで、もっぱら「性格俳優」と位置づけられている中堅俳優、家福。２歳年下の主役級だった女優の妻がいたが、癌で亡くしている。

深く愛していた妻は、ある時から共演していた俳優たちと寝ている、という秘密があり、家福は気づいていた。

妻がどうしてそんなことをしていたのかを、家福は確認したかったができないまま、妻は死んでしまった。愛する妻を亡くしたという喪失感と、この悔恨が今も家福をさいなんでいる。

本作は短編連作集で、表題作が『女のいない男たち』とあるように、**共通項（もしくはテーマ性）が、まさに女がいない（失った）男たちの喪失感**です。

そんな屈折を抱えている家福が、妻との思い出でもある愛車、黄色（映画では赤）のサーブ900コンバーティブルが運転できなくなり、若いが（24歳というのが中盤以降に分かる）洗練されたドライブテクニックを持つ、〝**偏屈なところがあって、ぶっきらぼうで、無口で、むやみに煙草を吸う**〟渡利みさきを雇うことになる。

ドライバーみさきとの時間を経ることで、家福は妻への思いや、やはり恋人（不倫相手？　すなわち家福の妻）を失ったことで、喪失感を抱えていた俳優の高槻（映画では岡田将生）との交流を語る。

【サンプル⑳】

家福はその男に、初対面のときから好意のようなものを抱くことができた。高槻という名前で、長身で顔立ちの良い、いわゆる二枚目の俳優だった。四十代の初め、とくに演技がうまいわけではない。存在に味があるというのでもない。役柄も限られている。だいたいは感じの良い爽やかな中年男性の役だ。いつもにこやかだが、時折横顔に憂愁を滲ませる。年配の女性に根強い人気がある。

亡妻が性的関係を持っていた最後の相手を、家福はあえて冷静に捉えようとしているニュアンスが伝わります。

家福は、後ろめたさを感じている高槻に、妻との思い出話をしたいと接近する。家福の秘やかな悪意を、感じとれない浅い男として高槻は描写されます。

【サンプル㉑】

それにしてもずいぶん感情の読み取りやすい男だ、と家福は感心した。両目をまっすぐのぞき込んだら、向こう側まで透けて見えてしまいそうだ。屈折したところも、意地の悪そうなところもない。夜中に深い落とし穴を掘って、誰かが通りかかるのを待つようなタイプではない。俳優としてはおそらくそれほど大成しないだろうが。

この高槻の酒癖についての表現がまさに村上春樹節です。

【サンプル⑫】

高槻はどう見ても健全な、健康的な部類に属する酒飲みとは言えなかった。家福に言わせれば、世の中には大きく分けて二種類の酒飲みがいる。ひとつは自分に何かをつけ加えるために酒を飲まなくてはならない人々であり、もうひとつは自分から何かを取り去るために酒を飲まなくてはならない人々だ。そして高槻の飲み方は明らかに後者だった。

本作はいわゆるミステリー小説のように、殺人事件や謎解きで引っ張る物語ではありません。現代に生きている（架空ですが）登場人物、家福や渡利みさき、高槻といった人物たちの心の動き、あやを描くことで、読者に何らかの感慨を与える人間ドラマ。それを彩る主要人物の造型と描写を学びとってください。

【参考&引用文献一覧】

星新一『地球から来た男』(角川文庫)
湊かなえ『告白』内「聖職者」(双葉文庫)
大沢在昌『小説講座　売れる作家の全技術』(角川書店)
川端康成『伊豆の踊子』(角川文庫・他)
山本周五郎『さぶ』(時代小説文庫・他)
沢木耕太郎『深夜特急』(新潮文庫)
松本清張『球形の荒野』(文春文庫)
桐野夏生『顔に降りかかる雨』(講談社文庫)
後藤明生『小説―いかに読み、いかに書くか』(講談社現代新書)
平野啓一郎『本の読み方　スロー・リーディングの実践』(ＰＨＰ新書)
向田邦子『思い出トランプ』(新潮文庫)
宮部みゆき『ぼんくら』(講談社文庫)
中条省平『小説家になる!』(メタローグ)
芳川泰久/西脇雅彦『村上春樹　読める比喩事典』(ミネルヴァ書房)
星新一『おーいでてこーい　ショートショート傑作選』(講談社青い鳥文庫・他)
オー・ヘンリー(結城浩訳)『賢者の贈り物』(青空文庫)
柏田道夫『しぐれ茶漬~武士の料理帖』(光文社文庫)
村上春樹『若い読者のための短編小説案内』(文春文庫)
村上春樹『職業としての小説家』(スイッチ・パブリッシング)
『宇野千代　KAWADA夢ムック文芸別冊』内「私の文章作法」(河出書房新社)
向田邦子『源氏物語・隣りの女』(新潮文庫)
向田邦子『隣りの女』(文春文庫)
森村誠一『小説道場』(小学館)
日本推理作家協会編『ミステリーの書き方』(幻冬舎文庫)

土屋隆夫『推理小説作法』（光文社）
貴志祐介『エンタテインメントの作り方』（KADOKAWA）
貴志祐介『鍵のかかった部屋』（角川文庫）
柏田道夫『つむじ風お駒事件帖』（徳間時代小説文庫）
柏田道夫『猫でござる一～三』（双葉文庫）
村上春樹『女のいない男たち』内「ドライブ・マイ・カー」（文春文庫）

[著者]

柏田 道夫（かしわだ・みちお）

青山学院大学文学部卒。脚本家、小説家、劇作家、シナリオ・センター講師。
95年、歴史群像大賞を『桃鬼城伝奇』にて受賞（2020年3月『桃鬼城奇譚』と改題し双葉文庫より刊行）。同年、オール讀物推理小説新人賞を『二万三千日の幽霊』にて受賞。映画脚本に『GOTH』『武士の家計簿』『武士の献立』『二宮金次郎』『島守の塔』、テレビ脚本に『大江戸事件帖　美味でそうろう』、戯曲作品に『風花帖　小倉藩白黒騒動』『川中美幸特別講演　フジヤマ「夢の湯」物語』など、著書に『しぐれ茶漬　武士の料理帖』『面影橋まで』（光文社時代小説文庫）『猫でござる』①②③（双葉文庫）『矢立屋新平太版木帳』『つむじ風お駒事件帖』（徳間時代文庫）『時代劇でござる』（春陽堂書店）『シナリオの書き方』『ドラマ別冊・エンタテイメントの書き方』①②③『企画の立て方　改訂版』（映人社）『小説とシナリオをものにする本』『ミステリーの書き方』『小説・シナリオ二刀流　奥義』『映画ノベライズ島守の塔』（言視舎）など。

装丁………山田英春
DTP制作………REN
編集協力………田中はるか

本書は「月刊シナリオ教室」（シナリオ・センター刊）連載中の「シナリオ技法（スキル）で小説を書こう！」を再編集したものです。
シナリオ・センターの講座へのお問い合わせ・申し込みは下記まで。
〒107-0061　東京都港区青山3-15-14
電話03-3407-6936　FAX03-3407-6946
https://www.scenario.co.jp/　e-mail:scenario@scenario.co.jp

「シナリオ教室」シリーズ

劇的《ドラマチック》！ 小説術

上手くなるのが実感できる95のレッスン

発行日❖2023年6月30日　初版第1刷

著者
柏田道夫

発行者
杉山尚次

発行所
株式会社**言視舎**
東京都千代田区富士見2-2-2　〒102-0071
電話03-3234-5997　FAX03-3234-5957
https://www.s-pn.jp/

印刷・製本
モリモト印刷（株）

ISBN978-4-86565-253-6　C0395

978-4-86565-103-4

ミステリーの書き方

『武士の家計簿』『武士の献立』『一茶』の脚本家が指導。シナリオを書く技術を小説に活かす方法を伝授、書くという視点からミステリーのジャンルを詳細に分類、小説＆映画の実作品をお手本に解説するから、具体的に納得できる。

柏田道夫著

A5判並製　定価1600円＋税

978-4-86565-041-9

小説・シナリオ二刀流　奥義

プロ仕様　エンタメが書けてしまう実践レッスン

『武士の家計簿』『武士の献立』の脚本家が直接指導！　類書にない特長①シナリオ技術を小説に活かす方法を伝授、②シナリオと小説を添削指導、どこをどうすればいいか身につく、③創作のプロセスを完全解説、創作の仕組みが丸裸に。

柏田道夫著

A5判並製　定価1600円＋税

978-4-905369-16-5

［超短編シナリオ］を書いて小説とシナリオをものにする本

600字書ければ小説もシナリオもＯＫ！「超短編シナリオ」実践添削レッスンで、創作力がいっきに身につく。小説にシナリオ技術を活用するノウハウを丁寧に解説！「超短編シナリオ」を書いて修業していた湊かなえさんとの特別対談収録。

柏田道夫著

A5判並製　定価1600円＋税

978-4-905369-02-8

いきなりドラマを面白くするシナリオ錬金術

ちょっとのコツでスラスラ書ける３３のテクニック

なかなかシナリオが面白くならない……才能がない？　そんなことはありません、コツがちょっと足りないだけです。シナリオ・センターの人気講師が、キャラクター、展開力、シーン、セリフ、発想等のシナリオが輝くテクニックをずばり指導！

浅田直亮著

A5判並製　定価1600円＋税

978-4-86565-244-4

ちょいプラ！　シナリオ創作術

人気ドラマが教えてくれる「面白い！」のツボ

「ちょいプラ」技術で創作を面白く。お手本は人気ドラマ『義母娘』『最愛』『アンナチュラル』『イチケイのカラス』ほか。ドラマを徹底分析、ちょっとだけプラスするワザと、いますぐ実践できる３２のコツを解説。

浅田直亮著

四六判並製　定価2000円＋税

978-4-86565-224-6

いっきに書けるラジオドラマとテレビドラマ

この１冊でラジオドラマを書く技術とテレビドラマの基本が身につく。対比しながら学べるから理解が深まり、上達も速くなる。聴覚だけの表現と視覚の表現は、どう違うのか、それを「どう書くか」を平易な文章でわかりやすく指導。

シナリオ・センター編／森治美著

A5判並製　定価2000円＋税